子どもを信じること

田中茂樹
Tanaka Shigeki

さいはて社

母親は子どもに去られるためにそこにいなければならない

Mothers have to be there to be left.

by Erna Furman

はじめに

この本で、私は、「子どもを信じること」を基本にした育児について書きました。

はじめに、私が診察や面接の現場でとっている「子どもを信じること」という方針が、自分自身の育児と結びつくことになった、ある出来事を紹介します。

長男が中学三年生の時のことです。その頃、長男は毎朝家を出るのが遅く、学校まで歩いて五分ほどしかかからないのに、しょっちゅう遅刻していました。三者面談で、先生は苦笑いされながら、「私は彼の顔を見るたびに「早く来い、早く来い」と言っているような状態です。おうちでも早く家を出るように言ってもらえると良いのですが」と、話されました。

普通ならば「すみません」と謝るべき空気なのだということは、私にも分かりました。しかし、私は、効果がないのに同じことを言い続けるという先生の接し方に、少し違和感を覚えました。そして、その上で家でも同じことをやるようにとすすめる、その理由を理解しかねました。

先生のやさしそうな感じにも誘われて、私は思ったことを正直に話してみました。「遅れることが良くないのは彼もよく分かっていると思います。あくまでも不利益を受けるのは彼自身なので、どうすべきかについては、彼が自分で決めたら良いと、私は考えています」。

すると先生は「しかし担任としては放っておくわけにはいかないのです。この子だけ特別扱いをするわけにもいきませんし」と困ったように話されました。

効果がないのに同じことを言い続けるというのは、ある意味で放っているのと同じことではないか、と思いましたが、授業だけでなく進路指導や部活の顧問まで、毎日とても忙しくされている先生に、それ以上期待するのは甘えすぎだということも分かっていました。

そこで私は、ふとひらめいて、こう言ってしまいました。「ならば、いっそのこと「彼は不登校なのだ」と考えていただいてはいかがでしょうか。いつ不登校になってもおかしくない状態であるけれども、なんとか力を振り絞って、少し遅刻しながら、毎朝通ってきているのだと。もしも不登校の子が頑張って登校してきているのだとすれば、顔を見るたびに「早く来い」と注意し続けることは、先生もしないはずです。その方が、先生も子どもも、楽になりませんでしょうか？」

私のこの発言に対して、先生から具体的な返事はなかったと記憶しています。しかし、それよりも、私の方が、自分自身の発した言葉の意外さに、自分で驚いていました。

この面談の後、先生の「早く来い」攻撃は、なくなったようでした。長男は、「父さんがわけの分からんこと先生に言ってくれたおかげで、もう「ハヨコイ」って言われんようになったわ。ありがとう」と私にお礼を言いました。

担任の先生からは、親子ともどもこれではお話にならない、と見捨てられたのかという思いが頭をよぎりましたが、それはそれとして、自分自身が長男のことを信じることができたという点で、そして「毎日学校に通えている子どもにだって、不登校の子どもと同じように接して良いのだ」というアイデアをつかむことができたという点で、私にとって非常に貴重な体験となりました。

それ以前から、診察や面接の場面で、子どもの不登校で相談に来られているお母さんやお父さんに対して、私はいつも「お子さんに対して指示や命令の言葉はできるだけ使わないようにしてください」とアドバイスしていました。そして「お子さんを信じて、あまり小言を言わず、できるだけやさしく接するのが良いですよ」とお伝えしていました。

しかし、私自身、自分の子どもたちに対して、いつもそのように接することができていたわけではありませんでした。医師として、またカウンセラーとしては、「子ども」を信じていましたが、一人の父親としては、「自分の子ども」を信じることができていなかったのです。

けれども、この三者面談以後、私は、長男をはじめ自分の子どもへの接し方をあらためるようになりました。彼らは実際には不登校ではありませんでしたが、私は、不登校の子どもに接するようにしてみたのです。

すると大きな変化が現れました。少なくともわが家の子どもたちに関するかぎり、その効果は明らかでした。親子の関係、兄弟どうしの関係、そして家の中の雰囲気は、ずっと良くなりました。

それまでも、私は、不登校や引きこもり、リストカットや摂食障害など、子どもの問題について、その親の相談に乗る仕事を、病院での診察や大学の心理臨床センターでの面接において、行っていました。そして、そこで得られた経験や心理学の専門的な知識は、家庭での育児にも活かしていたつもりでした。

しかし、この時、「毎日学校に通えている子どもにだって、不登校の子どもと同じように接して良いのだ」という考えに至り、それまでよりもいっそう「子どもを信じること」ができるようになってからは、育児の姿勢も、そして診察や面接のあり方も、大きく変わりました。

この本で、私は、「本来子どもが持っている力を信じる」ということを中心に据えて、子どもを育てる時に親が気をつけると良いと私が考えていることを書きました。

ここで、「親が気をつけると良い」と言う場合の「良い」とは、子どもが、親の言うことをよく聞くようになるとか、勉強が好きになるとか、不登校の子が学校に通いはじめるとか、そういったような、なにか親が望むような結果が得られるということではありません。そうではなく、子ども自身が、自分が幸せになるために、なにをどうするのが最も望ましいのかを、自分で感じ、考え、そのこととしっかり向き合えるようになる、ということです。

子どもが家庭で楽しく過ごせること。子どもが自分を好きになること。親も子どもと過ごす時間を楽しめること。子ども時代をそのように過ごすことは、生きることを好きになるために、とても大切なことだと思います。また、生きることを好きになることができた子どもは、たとえば将来大きな困難に出会った時に自殺という方法は選ばないというようなことにも、つながっていくと私は考えています。

私は、日々、診察や面接の場面で、たくさんの親と会っています。そして、私や私の妻が毎日悩んでいるのとまったく同じように、どの親も、子どもが幸せになるために、子どもにどう接するのが良いのか、真剣に考えているということに、しばしば胸を打たれることがあります。

しかし、子どもの幸せのために、と親が努力しているまさにそのことが、実は、子どもを、さらに、親自身を、不幸にしているということにも、毎日のように出会います。

そして、これまで多くのケースに出会ってきた経験から見て、子どもに起こる問題はさまざまでも、親のとるべき態度や方法は、ほとんどの場合同じであるというのが、私がたどり着いた考えです。

それが、「子どもを信じること」なのです。そして、より具体的に言えば、「子どもに小言を言わず、やさしく接する」ということです。

親が手出しをしなくても、子どもは、自分が幸せになるためにとるべき行動を、自分からとるようになります。そのことを信じて、子どもと向き合うのです。

本当にそれで大丈夫なのか、小言を言ったり、厳しく注意をしたり、親が導いてやったりしなければ、子どもはどんどんダメな方に進んでしまうのではないか、その結果不幸になってしまうのではないか、等々、不安に思われるかもしれません。けれども、そのような不安をお感じになられる方にこそ、この本を読んでいただきたいと思います。

子どもを信じること【目次】

III　子どものコミュニケーション　223

この本の目的と構成

具体的な方法を提案すること

この本の目的は、「子どもを信じる」という方針に基づいた育児の、具体的な方法を提案することです。

その方法というのは、いたって単純なものです。ひとことで言ってしまえば、「子どもに小言を言わず、やさしく接する」ということです。子どもにやさしく楽しく接しても、大丈夫なのです。そのことを、多くの事例を挙げながら、できるだけ分かりやすく説明していきます。

悩みの仕組みを解き明かすこと

勉強をさせるべきかどうか、塾に通わせるのが良いのかどうか、ゲームの時間を制限した方が良いのかどうか、等々、子どものためを思えばこそ、育児の現場では、いろいろな悩みが出てきます。

とはいえ、そのような個別の問題に対して、こうすれば良い、こうしてはいけない、というような、マニュアル的な答えを提示することは、私の本意ではありません。

そうではなくて、なぜそのようなことをめぐって親は悩むのか、その理由、あるいは悩みや苦しみが生じる仕組みについて、心理学の概念を用いて、事例を挙げながら説明しています。

私の知識と経験のベースについて

この本を書くためのベースとなっている私の知識と経験は、主に四つの形で、子どもと日々接することを通して得られたものです。

一つめは、自分自身の育児です。私は、一人の父親として、上は高校生から下は保育園児まで、四人の男の子を、共働きの妻と一緒に育てています。本文でも紹介しますが、どの子も元気でやんちゃです。とくに一番上と一番下は典型的な「問題児」でした。診断を受ければおそらくＡＤＨＤ（注意欠陥・多動性障害）とされたはずです。家庭内にとどまらず、学校や地域との関わりを通じて、毎日が、ひたすら実践の日々です。

二つめは、医師として子どもの問題に関わっていることです。私は、研究者としては脳科学を専門としてきましたが、病院では臨床医《りんしょうい》として一般的な内科の診察も担当しています。主に心療内科《しんりょうないか》的な診察が中心ですが、風邪や腹痛、予防接種などで受診する子どもたちや、その親との出会いからも、実に多くのことを教えられてきました。また、不登校、引きこもり、過食や拒食といった摂食障害、リストカット、解離《かいり》性障害など、さまざまな問題について、たくさんの子どもやその親の診察を担当してきました。

三つめは、臨床心理士を養成する大学院で、面接技法やカウンセリングの理論、精神医学などの指導をしてきた経験です。そこでは私自身もカウンセラーとして、大学の心理臨床センターで、主に親面接を担当しました。カウンセリングでは、病院での診察とは違って、時間的な余裕を持って、子どもや親と接することができます。はじめのうちは、精神疾患《しっかん》のある方や、主に医学的な問題で相談に来られた方を担当していました。しかし、センターのスタッフの中で育児経験がある人がほとんどいなかったということもあり、次第に不登校や引きこもりなど子どもの問題で相談に来られる親の面接を担当するようになりました。

そこで、臨床心理士であるスタッフの方々と一緒に働けたこと、そして、大学院生の指導やケース（症例）の考え方について、駒米勝利《こまごめまさと》先生にいろいろと御指導いただけたことは、私にとって本当に幸運なことでした。「症状はその人にとって大切なものである」という駒米先生の教えは、それまでの私の診察のスタイルまでをも大きく変えることになりました。

また、育児において、私が「子どもを信じること」ができるようになったのも、相手を信じることで相手を支える駒米先生のスタイルに触れさせていただけたおかげです。

やがて私はカウンセリングの持つ力に魅了されていきました。そして自分も臨床心理士の資格を取りました。カウンセリングについて学び実践していくうちに、病院での医師としての診察のスタイルも、変わっていきました。

以前の私は、「医学的に正しい知識や方法を、いかに効率良く患者さんに説明して納得してもらうか」ということを目指していました。しかし今では、「この人はどのようなことを問題であると考えているのか、そしてそのことをどのように感じているのか」ということを、まず考えるようになりました。

四つめは、かれこれ十年近く、ボランティアで近所の子どもたちと毎週フットサルをしていることです。このサークルには三十名ほどの小学生が参加していて、週二日、夜二時間、近くの小学校の体育館を借りて行っています。

もともとは、自分の子どもが夜に家でテレビを見たりゲームをしたりするよりは身体を動かした方が良いのではないかと考えて、子どもの友だちも誘って、ジョギングをはじめたことがきっかけでした。そうこうするうちに、ただ走るよりはボールを追いかけた方がもっと楽しいということで、体育館でフットサルをするようになりました。

子どもたちを三チームに分けて、五分間のゲームを勝ち残りでえんえんとやります。そこで私は、技術的なことはもちろん、挨拶さえ指導しません。さらに、片付けは基本的に私がやります。ただただ遊ぶためだけに子どもたちはやってきて、駆け回って帰っていきます。

私は舞台の端っこに座って時間を計っています。その私の横に子どもたちは寄ってきてくれて、「あのさあ、おっちゃん……」と、いろいろな話をしてくれます。私の至福の時間です。

家庭でも学校でも病院でもない場で子どもたちと接する体験は、私に、つねに「どの子も魅力的で素敵だ」ということを教えてくれます。

私の子どもに関する知識や経験の源は以上のようなものです。

実際のところ、子どもの問題について私よりもずっと詳しい医師やカウンセラーは、たくさんおられると思います。しかし、やんちゃな男の子を四人育てているさなかにあって、さらにたくさんの子どもたちと遊びを通して接し続けている医師かつ臨床心理士となると、それほど多くないのではないかと思います。

この本は、父親として、医師として、臨床心理士として、そして、遊びサークルのおっちゃんとしての経験に基づいて書きました。

さらにもう一つ付け加えるならば、右の四つの現場を介して、私自身が、自分自身の子ども時代を振り返り、自分の親と自分との関係を捉え直したり、自分自身を育て直したり、といったようなことも多々ありました。そうしたことも、この本には、できるだけ盛り込むようにしました。

子どもの問題の多くは歓迎すべきもの

ところで、ここまで、すでに何箇所かにおいて、私は、「子どもの問題」と書きましたが、「問題」と言っても、それらはけっしてネガティブなものではなく、むしろ、それらの多くは歓迎すべきもの、子どもによるSOSの表現であると、私は考えています。

表現されることがなければ、そこに問題があることに周囲が気づくことはありません。たとえば不登校は、それまで苦しかった子どもが、自分を助けるために、勇気を出してとった行動だと言えます。

その意味では、自尊心を傷つけられ続けていても我慢して学校に通っていることの方が、問題としては、より深刻である場合もあります。

子どもの問題に本は役に立たない?

私が望ましいと考える子どもへの接し方や、子育てが上手《うま》くいっている親に共通する態度のようなものについては、すでに多くのカウンセラーや医師が、たくさんの本を書いておられます。

実際に、私も、面接に来られた保護者の方に、しばしばそのような本を紹介しています。私の勤務する病院の近くの本屋さんには、よく患者さんに紹介する本（たとえば、長谷川博一『魔法の「しつけ」』など）を、つねに在庫を切らさず置いてもらうようにしています。

長谷川《はせがわ》博一《ひろかず》先生は、『お母さんはしつけをしないで』（草思社文庫、二〇一一年）、『ダメな子なんていません』（新潮文庫、二〇〇九年）などの本でも、大切なことを、いずれも分かりやすく書いておられます。私自身、仕事においても家庭においても、大いに参考にさせていただいています。はじめて『魔法の「しつけ」』（PHP文庫、二〇〇八年）を読んで長谷川先生のお考えを知ってから、子どもの問題についての私の考え方は大きく変わりました。そして自分自身の育児が楽しくなりました。

しかし、そのような本には、たいへん分かりやすく適切なことが書かれているにもかかわらず、相談に来られた方にそれらの本をすすめても、思ったほどの効果がない場合がほとんどです。

それはなぜでしょうか。いくつかの理由が考えられますが、一番大きな理由としては、親が、自分自身の抱えている問題を、無意識のうちにではあれ、認めたくないがために、本の内容が上手く頭に入らない、ということがあるように思えます。「自分が責められているような気がして、途中から読めなくなってしまいました」と、正直に話された方もおられました。

というわけで、子どもの問題に関して、現実に困っている渦中にある親にとっては、本を読むという方法があまり役に立たないということは、医師としても、臨床心理士としても、身にしみて分かっているつもりです。

しかし、それでもなお、今回このような本を書こうと考えたのは、この本の「はじめに」で述べたように、「不登校の子でなくても、不登校の子に接するように接しても良い」という考え方に、私が一定の確信を持っているからです。そして、同じようなことが、子育てについて悩んでいる親についてもあてはまるのではないかと思うからです。

すなわち、すでに子どもに問題が出ているような場合は、本を読むことはあまり役に立たないかもしれませんが、「まだ問題は出ていなくても、子どもへの接し方について悩んでいる親」に対して、「子どもを信じること」を基本にした育児を提案することは、それなりに有効なのではないか、と考えるからです。

また、この本を原稿の段階で読んでくださったある方は、「自分は子どもを育てる自信がなく、子どもを持ちたいと思いませんでした。しかし、この本に書かれているように「楽に子どもに接しても良い」という考え方を知って、子どもを育ててみたいと、はじめて考えるようになりました」と、私に話してくれました。そういった意味では、育児をされていない方でも、この本をお読みいただいて、いろいろと考えていただけるのかもしれません。

ふだんから子どもにやさしく接する

不登校になっていない子どもに対しても不登校の子どもに接するように接しても良いという考え方について、少し別のたとえをしてみます。

たとえば、癌が発見されて、手術や放射線治療、抗癌剤投与などの治療がはじまると、それまでの生活を見直して、健康を心がけた生活をはじめる方は多いと思います。たばこを吸っていた人が禁煙をはじめたり、野菜をこれまでより多めに摂《と》るよう心がけたり、といった具合です。あるいは、早寝早起きや適度な運動をするなど、それまで健康を心がけずに暮らしていた方にかぎって、急にライフスタイル、生活習慣をあらためます。

そして、そのような人たちは、「もっと前から、このような健康を心がけた暮らしをしていたら良かった」と、残念そうに話されるのです。

私は、子どもの問題についても、同じようなことがあてはまると考えています。たとえば、それまでもずっと苦しいことが続いていた子どもが、ようやく自分の苦しみを、不登校やリストカットなどの形で表現したとします。そこではじめて、親や周囲の大人は、子どもの苦しみに気づきます。

ここで、上手くいけば、親は子どもに接する態度をあらためて、彼らを元気にすることができるかもしれません。実際に、子どもの苦しみの原因が親の接し方や親と子の関係にある場合はもちろんのこと、それ以外の場合でも、親からやさしく接してもらうこと、すなわち愛情を与えてもらうことで、子どもがエネルギーを蓄えて、問題を乗り越えられるようになります。

それならば、病気になってから後悔しないために、ふだんから身体を大事にすることが大切なのと同じように、子どもの元気がなくなってしまう前から、そもそも、私たちは、はじめから、子どもが元気になるように、やさしく接すれば良いのではないでしょうか。

この本の構成

次に、この本の構成を簡単に紹介しておきます。この本は、以下のような三部から構成されています。

Ⅰ　診察や面接で気がついたこと

ここでは、まず、私が診察や面接を通して気がついたこと、とくに子どもの問題の原因となりやすい親の姿勢などについて書いています。

さらに、この本の基本となっている考え方について紹介しています。

Ⅱ　親子の関係

ここでは、まず、親の子どもに対する心理的な距離によって問題の現れ方が変わってくることを、「近すぎる親」「遠すぎる親」という、ある意味で対極にある、二つの親子関係から説明します。

さらに、子どもに失敗させまいとして、親が子どものことにいろいろと手を出したり、子どもの行動を制限したりすることにはどのような問題があるのか、ということについて説明します。

また、防衛機制《ぼうえいきせい》という考え方についても説明します。防衛機制というのは、基本的には、自分を守るための無意識の心の働きのことです。この防衛機制は、かつては有害なものという受け止められ方をしていましたが、子どもの発達において、あくまでも正常な心の機能として、誰にでも現れるものであることなどが分かってきて、最近は扱われ方も変わってきています。ここに挙げている防衛機制のバリエーションとその具体的な例は、日常生活の中で、ごく普通に見聞きするようなものばかりです。

Ⅲ　子どもとのコミュニケーション

ここでは、まず、子どもとのコミュニケーションで気をつけるべきこと、子どもの話を聞く時に注意したら良いことについて説明しています。

さらに、子どもに対して、指示や命令の言葉を使うことを控えて、その代わりに、思いや考えを伝えあう言葉を使うことによって、子どもに起こってくる変化の具体的な例などをいくつか説明します。

また、相談事例などで見られた子どもの変化を紹介しながら、子どもに対してどのように接していくのが望ましいか、子どもに対して私たちがなにげなくとってしまっている態度にどのような問題があるのか、などといったことについて、具体的な場面でのやりとりや事例を紹介しながら説明します。

そして最後に、私が考案した、「アイスクリーム療法」という子どもを元気にする方法を紹介します。

以上が三つの部の概要ですが、それらに含まれる一つ一つの章については、単独のエッセイとしても読めるような、どちらかと言えば、ゆるやかなスタイルで書き下ろしました。したがって、最初から順を追って読み進める以外に、興味を持ったところ、読みやすそうなところから、好きなようにページを開いて読みはじめていただくというのでもかまいません。

この本に書かれてあることは、いずれも、頭で理解することは簡単であっても、実際の場面で実行することは、とても難しいことだと思います。

実際のところ、私自身も日々葛藤の中にあります。とはいえ、読んでいただいたみなさんの、親子で過ごす時間が少しでも楽しいものになれば、そして、子どもも親も笑顔が増えるようであれば、この本を書いた意味があると私は考えています。

なお、事例として具体的なケースを紹介する場合には、プライバシーに配慮して、本質を損なわない程度に変更を加えてあります。この本の趣旨を理解してくださり、診察や面接の内容の一部を紹介させていただくことをご了解くださいました多くのクライエントや関係者の方々に感謝いたします。

I 診察や面接で気がついたこと

1 親にできるのは自分が変わること

子どもを変えることはできない

たとえば、不登校の問題について親が面接に来られる場合、「子どもが学校に行かないこと」が「問題」であって、学校に行けるようになりさえすれば「問題」は解決すると思っておられることがよくあります。

そのような場合、子どもが学校に行けなくなった直接のきっかけは、いろいろな理由が考えられるでしょう。仲間からのいじめかもしれないし、成績が下がったことによるものかもしれません。そういった、原因らしきものさえ解決できれば、子どもはすぐに学校に通いはじめるはずだ、と親は思いがちです。なかには、「それぐらいのこと」は平気で乗り越えられるように、子ども自身が強くなればいいのだ、と考えている場合もあります。ようするに、子どもや、周りの状況を変えることさえできれば、「問題」が解決すると、考えてしまっているのです。

しかし、子どもを変えることや、状況を変えることは、そう簡単にはできないでしょう。それに、そもそも、物事の原因というものは、往々にして、複雑であることが多いものです。

親はただちに変わることができる

一方で、そういった場合に、ただちに、確実に、できることがあります。それは、親が自分の子どもへの接し方を変えることです。

たとえば、子どもに対していろいろと小言を言っているのであれば、それをやめることです。生活のいろいろな点に指示を与えているのであれば、それを控えることです。

これは子どもに行動や変化を求めるものではないので、親が自分で心がければすぐできることです。朝起こすこと、朝食に呼ぶこと、遅れないように家を出ろと言うこと、忘れ物はないかと確認すること、このような指示や小言を意識してやめるのです。

ただしこのようなアドバイスは、相談に来られた親が協力的になってこそ有効となります。「問題があるから注意をしているのに、それをやめたら問題はどんどん悪くなるばかりではないか」とか、「問題なのは子どもであって、自分がなにかをあらためる必要はない」などと、かたくなに思い込んでいる間は、これまでの自分の子どもへの接し方を変えるようにというアドバイスを、素直に受け容れることはまず不可能なのです。

次のようなケースがありました。

【例】　毎日遅刻気味で元気がないという小学四年生男子の母親。毎朝何度も起こしているが、子どもはなかなか起きてこない。最後は無理矢理引っ張り起こして机に座らせ宿題をやらせている。本もノートも母親が開けている。着替えも手伝って、食事も半ば食べさせているような状況である。友だちが迎えに来ると、母親が応対して待ってもらっている。毎朝子どもを送り出すことだけで母親は疲れ切ってしまう。

この時の面接で、私は母親に、子どもを起こさないこと、手助けを一切しないことを提案しました。最初、母親は、そのようなことは絶対無理だ、と言いました。自分が手助けをしなければ、子どもは起きてこないだろうし、学校に行かなくなってしまうだろうと言うのです。母親は、不登校という状態を非常に怖れていました。私は、今の状態はすでに不登校であるか、もしくは不登校という「表現」すら現れていないということでもっと悪い状態である（一六頁「子どもの問題の多くは歓迎すべきもの」の項を参照してください）と母親に説明して、干渉をやめるよう説得しました。

【例】（続き）　母親は意を決して「明日から今までのように起こすことはやめるので、学校に行きたかったら自分で起きるように」と宣言した。翌日の朝、子どもはぎりぎりの時間に自分で起きてきた。半分泣きながら宿題をして、食事もとらずに学校に行った。その日の夜、子どもは母親に「今まで通り何回も起こして欲しい」「宿題や着替えを手伝って欲しい」と頼んできた。

その後も母親は手出しするのを我慢しました。結局、この子は不登校には至りませんでした。あるいは、至れなかったと言うべきかもしれません。実際に不登校になるのは、なかなか勇気のいることです。また、ある程度、子どもが親や家庭を信用していること（たとえば、家にいれば自分を守ることができる、と子どもが感じていること）も必要です。

何度でも注意し、なんでも手伝うという母親の干渉は、意識的なものではないと思いますが、子どもを未熟なままでおいておこうとする行動であったと言えると思います。そして、干渉をやめた時、ここまで自分を弱く育ててきたのに、急に捨てるなんて、お母さんはひどい！　と、子どもの方は感じたかもしれません。

ところで、この子は、夜遅くまで中学受験のための塾に通っていました。そして、母親によれば、子どもの方から中学受験をしたい、と言い出したとのことでした。

いろいろな出来事ややりとりがあったのですが、結局この子は、毎晩の塾通いを、自分から言い出して、ぐっと減らしました。そして、これも自分の希望で、とあるスポーツのクラブに所属して運動をはじめ、だんだんと元気になりました。いつの間にか宿題は言われなくても前の日にするようになっていることに、母親は気がつきました。朝は起こしてもらわなくても良くなりましたし、食事も着替えも指示されなくても自分からするようになりました。そうなってからの診察で、母親は相談に来はじめた頃の状態について、「よくあんな異常なことを毎朝続けていたと、今では信じられないほどです」と話されていました。

私には、この親子は、いびつな取引をしていたように思えました。中学受験を希望していたのは母親だったのかもしれません。子どもは、自分のためではなく親のために頑張って受験勉強をしていたのではないでしょうか。夜遅くまでの塾通いも、親を喜ばせてあげようと頑張っていたものの、そのせいで疲れてしまって、朝起きることができなくなっていたのかもしれません。

本当に自分でやりたくてやっていることは、疲れないものです。しかし、そうでない場合には、努力を続けるのは難しいと思います。この母親は、子どもが親のために頑張っていること、そして疲れてしまっていることに、ある程度気がついていたと思われます。そのために、なんとか今の状態が破綻《はたん》しないように、周りの人から見たら、まるで人形を操っているかのように見えるほど、疲れ果てている子どもを毎朝必死で学校に送り出していたのだと私には思えました。母親の干渉がなくなって、子どもはようやく自分の本当の気持ちと向き合うことができました。

「子どもを変えることはできないが、親はただちに変わることができる」「親ができることは自分の言動をあらためることである」というのは、たとえば右のような例をさしています。そして、この例からも、親にとっても、子どもにとっても、それまでの行動を変えることには、かなりの覚悟を要するということがお分かりいただけたかと思います。

通常のカウンセリングと親面接の違い

ここで、カウンセリングや診察の現場における、患者（クライエント）本人の面接（通常のカウンセリング）と、親面接の違いについて、簡単に説明しておきます。

一般に、本人が自分の問題のために相談に来る場合には、基本的にクライエントの話を聴くこと（いわゆる傾聴《けいちょう》）を中心に面接は進んでいきます。この場合、カウンセラーは、アドバイスをできるだけ控えて、クライエントの気持ちを理解することにつとめます。

一方、子どもの問題に関して親が相談に来る場合（親面接と呼ばれます）には、スタイルが異なってきます。個々のケースで事情が違うため一概に言えないのですが、およそ親面接の進め方には、二つの場合があります。それは、親が子どもの問題への自分の関わりをどのように受け止めているか、そのレベルによって、以下のように分けて考えることができます。

①親が子どもの問題を受け容れる準備ができている場合　まず、親が、子どもの問題をある程度冷静に受け容れる準備ができており、子どもの状況を改善するために、親として自分にできることはなんなのか、ということについてアドバイスを求めているような場合です。

このような場合であれば、やるべきことはかなり明確です。面接では、子どもの状況を話してもらいます。そして、親がこれまで子どもにどのように接してきたのか、子どもの問題にどのように対応してきたのかを具体的に聞いていきます。

そうやっていく中で、学校や友だち、きょうだいなどの他の家族に対する働きかけなどを含めて、親ができることや改善すべきことを具体的にアドバイスし、子どもに起こる変化を待つことになります。

ちなみに、子どもが変化する時には、状況が悪くなっているように思えるような発言や行動が見られることがよくあります。そのため、面接では、予想される子どもの変化を、あらかじめ予告しておき、そのような行動がなぜ出てくるのか、それにもかかわらず、なぜ順調と考えてよいのか、親はどのように対応するべきか、などを話して、親を支えていくことになります。

②親が子どもの問題を受け容れる準備ができていない場合　次に、親が、「問題があるのは子どもであって、親にはなにも問題はない」とか「どうやったら子どもを「治す」ことができるかということだけを教えて欲しい」と相談に来るような場合があります。

このような場合は、たとえば自分の子どもが実際に学校に行けなくなっていても、「とにかく、無理にでも学校に行かせることができたら、不登校は解決する」といったように、表面的な問題を解消することだけにとらわれてしまっています。このような姿勢は、不登校という不快な現実を受け容れまいとする「否認の防衛」と見ることができます（「否認の防衛」については23章で詳しく説明します）。

あるいは、子どもの問題が、あくまでも自分や子ども以外の要素（学校、教師、友だちなど）によって起こっていると考えていて、それらをどうやって改善すれば良いのかだけ教えて欲しい、というようなことを要求される場合もあります。このような態度も、子どもの問題に対して、自分も影響を与えているという可能性を認めることができないという点で、大きな問題を抱えています。

ともかく、親が子どもの問題を受け容れる準備ができていなければ、子どもの心を思いやったり、子どものために自分を変えたりすることなど、できるはずがありません。

子どもの問題の相談であっても、親面接に力を入れることについて、長谷川《はせがわ》博一《ひろかず》先生も、「親が子どもを受け止められない主な原因のひとつは、親自身がじぶんを受け止めていないことである」と書かれています（『魔法の「しつけ」』二二三―二二四頁）。

そのような場合には、まずは親自身がクライエントとなり、自分の不安を解消することが必要になってきます。つまり、まずは親がカウンセリングを受けることになります。その場合も、カウンセラーは親に対してなにかアドバイスを与えるのではなく、親が今の状況をどう感じているのか、ということについて、批判や評価をせずに、共感的に、根気よく話を聴いていくことになります。

親の代わりにSOSを発信する子どもたち

ところで、このような場合に、つまり、子どもの問題の前に、まず親のカウンセリングが必要であると判断して、それをはじめていった場合に、時々興味深いことが起こります。子どもの問題に直接関係のない親自身の問題、たとえば義父母（舅や姑）への不満などがカウンセリングで語られて、親の気持ちが楽になっていきます。すると、相談に来るきっかけになっていた子どもの「問題」の方までもが、自然に解決してしまう、ということがよくあるのです。たとえば次のようなケースがありました。

【例】小学一年生女子。「学校の建物に入るのが怖い」と不登校気味になっている。母親が相談に来た。数回の面接の後、「同居の姑との関係で悩んでいる」「自分の味方になってくれない夫を信じられなくなっている」など、母親自身の悩みが語られた。その後、数ヶ月の面接を経て、次第に夫に思いを伝えることができるようになり、結局、夫の実家を出て親子三人だけで暮らすことになった。それによって、母親の不安な状況は改善され、娘も「学校や教室が怖くなくなった」と言って、登校できるようになった。

【例】小学二年生男子。五月の連休明けから、学校に行くのを嫌がるようになった。登校しない日は、母親が仕事を休んで一緒にいる。そんな時、今までになかったことだが、べったりと甘えてくる。膝に乗ってきたり、抱きついてくる。「お母さんのこと大好き」と何度も言う。診察には母親だけが来院。子どもはいじめにあっているわけでもなく、原因は思い当たらないとのこと。やがて、母親の不安が語られはじめた。夫の親族の結婚式が夏に予定されている。母親は夫の両親と不仲で、結婚式にはどうしても出席したくない。ところが、夫にその話をしたところ、夫は不機嫌になった。それ以来、母親は動悸がしたり不眠の症状が出ている、という。母親の不安を子どもが受け取ってしまっているかもしれない、ということを説明したところ、母親は勇気を出して夫と話をした。その結果、結婚式には出席しなくても良いと夫が了解してくれた。母親が元気になると、子どももすぐに登校できるようになった。しばらくしてから「なんで僕、あの時、学校に行くのが怖くなったんかなぁ」と、子どもがぽつりと母親にたずねたという。

このような経過は、あたかも、困難な状況にあって、周りに助けを求められない親の代わりに、子どもが「問題」を起こすことでSOSを発信してくれたかのようです。その「問題」＝SOSのおかげで、親はカウンセリングや診察に来ることになり、結果として困難から脱出することができたと言えます。

一般に、親の不安を敏感に感じ取って登校できなくなるなどの問題を表す子どもは、小学校低学年ぐらいである場合が多いように思います。その年頃だと、まだ親との一体感が強く、親が不安定になると、その影響を受け取ってしまいやすいのかもしれません。

このように、親を助けるかのように問題を起こす子どもというのは珍しくありません。このようなケースにたくさん出会ってきたこともまた、子どもが持っている力を強く信じて良いのだ、と私が確信するようになった理由の一つです。

2　目に見えるものに偏りすぎていないか

親面接でしばしば出会う気になる傾向

子どもの問題の相談に来られた親の面接をしていて、しばしば出会う、気になる傾向があります。以下の三つの例を読んでみてください。

【例】　不登校ぎみの男子中学生の母親。「今日も起きたのは九時です。朝食を食べませんでした。呼んでも起きてきません。制服のままで寝ていたようです。夜中ずっとゲームをしています。携帯電話を食卓でもいじっています」。

【例】　不登校の女子高校生の母親。「午前中に一度、家に電話しました。子どもがまだ家にいるかどうか知りたかったのです。家にいるなら仕事を抜け出して、車で学校に送ってやれる時間がとれそうだったのです。子どもは家にいましたが、まだ寝ていました。そういう声だったので分かりました。送っていくのはあきらめました」。

【例】　不登校の男子中学生の母親。「せめて部屋から出てくれたら。せめて家から外に出られれば。せめて近所を散歩できたら。せめて保健室登校でも良いから、週に一日でも学校に行けたら……」。

このように話す親が子どもに関心を向けていないわけではないのです。しかし、その関心は、子どもが、なにをするかしないか、なにができたかできなかったか、ということに、集中してしまっています。一方で、子どもがなにを考えているのか、どう感じているのかなど、思いや感じ方には、ほとんど関心が向けられていません。

「指示や行動を促す言葉」と「思いや考えを伝えあう言葉」

親面接では「次の面接までに、子どもにかけた言葉、かけようとした言葉を、朝起きてから寝るまで、二、三日でもよいので記録してきてください」とお願いすることがあります。そして、「指示や行動を促す言葉」と「思いや考えを伝えあう言葉」が、それぞれどのぐらいあるか、一緒に記録を眺めて確認してみます。

大体の親に共通する特徴ですが、「お風呂に入りなさい」とか「ゲームより宿題を先にやった方が良いのと違う？」といった「指示や行動を促す言葉」がぎっしりと並んでいます。一方で、「○○のこと、どう思う？」とか「××は楽しかったね」といったような「思いや考えを伝えあう言葉」はほとんどありません。

このような姿勢で子どもと向き合う日常には、子どもと過ごす時間を慈《いつく》しむ、楽しむという要素は、ほとんどないように思われます。子どもにしてみれば親からの言葉は、なにかを、しなさい、してはいけない、などの指示ばかりです。もしくは、できたか、できなかったか、の確認の言葉です。

こんな言葉ばかりをかけられていると、子どもは、気持ちが張り詰めてしまいます。感受性の豊かな子や、やさしい子ほど、その傾向が強いように思われます。

目に見えるものばかりを求めない

このように、指示や命令、確認の言葉ばかりを使ってしまうのは、目に見えるもの、すなわち、外面的なもの、物質的なものに、比重を置きすぎているからだと私は思います。

そもそも、外面的・物質的な達成は、子どもが幸福になるための手段にすぎないはずです。ところが、親はしばしば、そのような達成を絶対の目標と思い込んでいる（あるいは信じ込もうとしている）ようです。

そうではなく、子ども自身が、自分は幸せだと感じられることや、内面の幸福のような目に見えないものを得られることにだって、大きな意味があるのではないでしょうか。そのような目に見えないものの価値を認めることができると、親も育児を楽しみ、子どもにやさしく接することができるように思います。

ところが、現実には、目に見えないものの価値を、認めることは難しいことです。しかし、それを認めることができないと、子どもにやさしく接することもできないのです。

ファンタジーの重要性

【例】 六歳の男の子。クリスマスイブの夜のこと。塾の宿題が終わっていないことを母親が叱《しか》って、「宿題が終わらないとサンタさんは来ないよ」と言った。男の子は、「サンタさんは来るよ」と言い返した。母親は、「サンタさんはお父さんなんだから、宿題が終わってなければ絶対に来ないよ」と言った。宿題は終わらず、男の子は眠った。翌朝、プレゼントはなかった。両親は仕事に行った。男の子は、サンタさんは絶対来てくれたはずだと信じており、兄にも頼んで家の中を探し回った。兄は、母親の職場に電話をかけて事情を話した。母親は、昼休みに家に戻って、男の子が見つけられそうなところにプレゼントを隠した。やがて、男の子はプレゼントを発見し大喜びした。「サンタさんがちょっと変なところに置いたんだ」と納得した。

シュタイナー教育で有名なルドルフ・シュタイナーは、「ファンタジーの重要性」について指摘しています（高橋巖『シュタイナー教育の方法――子どもに則した教育』角川書店、一九八七年、一一七―一五三頁）。シュタイナーは、子どもは幼いうちから理論的なことや現実的なことばかり与えられると、先の人生において非現実的なことや空想的なものの価値を、認めにくくなってしまう、ということを述べています。

クリスマスの夜に、サンタさんがトナカイの引く橇《そり》に乗って空を行く、その姿を思い描く子どもの心、その幸せを、親として実感できないとしたら、それは私には、途方もなく悲しいこと、淋しいことと思われてなりません。また、幼い子どもが宿題をしそこなうことと、サンタさんのイメージを失うこと、その損失の大きさは、そもそも比べるべきものですらないと私は思います。

このように、現実的なものばかりを求める親の育児姿勢は、子どもにとっては息が詰まるものとなるでしょう。まるで業務をこなすように、家庭や学校での時間を過ごすことになるでしょう。

そして、そのような状況であれば、学校に行くことや勉強することが嫌いになってしまうのは、むしろ当たり前のことだとさえ思えてきます。

不安があるからこそ信じ込もうとする

さきほど、私は、「あるいは信じ込もうとしている」と書きました。その理由は、子どもの問題で相談に来られる少なからぬ親が、「今のような自分の子どもへの関わり方で本当に良いのだろうか」と、内心では不安を感じているらしいことが、推察されるからです。そして、そのような不安があるので、余計にかたくなになっているような場合も時に見受けられます。

【例】　小学三年生男子の母親。子どもをいくつもの塾に通わせている。毎晩長い時間をかけて塾の宿題を子どもにつきっきりで指導している。母親が子どもをきつく叱りすぎている様子を見かねた父親が「子どもが疲れているようだから少し塾通いを減らしてはどうか」と声をかけると母親は突然号泣し「なにも知らないくせに気楽なことを言うな！」と絶叫した。

さらに、不安をまぎらわすためにすがりつく「信仰」は、いわば「盲信」となってしまう場合もあります。次の例は、ある塾の先生から聞いた話です。

【例】　小学三年生の女の子が母親と一緒に入塾の申し込みに来た。その塾では、はじめに親子それぞれに質問紙に記入してもらうことになっている。女の子の書いた「塾に入ろうとする目的」は「○○中学に入りたいから」となっていた。そしてそれに続く「なぜその学校に入りたいと思いましたか」という質問には、「ひとめぼれです」と書かれてあった。

よく言われることですが、子どもというものは、親の顔色を本当によく見ています。そして、良い子であればあるほど、どうすれば親が喜ぶのかを必死で感じ取って、健気《けなげ》に頑張ってしまうのです。しかし、いつか、そういった子どもは親に自分の時間を返して欲しいと言い出すかもしれません。

勉強や学歴は手段か目的か

実際に、診察や面接でお会いするほとんどの親は、子どもの将来のことを真剣に考えています。しかし、その心配や支援は、現実的なもの（学歴や資格など。あるいは経済的な価値をめぐるもの）に、比重が置かれすぎているという印象を受けるのです。

そして、そこでは、往々にして、子どもの気持ちは置き去りになっています。気持ちの問題は、モノが手に入りさえすればなんとでもなると考えている（あるいは信じ込もうとしている）のでしょうか。けれども、早くから親が褒めたり叱ったりして勉強をさせて、少しばかり先にリードしても、自分からやる気になって勉強する子には、すぐに追いつかれ、やがて追い越されてしまうでしょう。

私が言いたいのは、先に勉強しておいても、後で追いつかれてしまうから小さいうちから勉強に長い時間を使うことは無意味だということではないのです。そうではなくて、ここが本当にお伝えしたいことなのですが、子どもの頃のゆったりした時間に、遊んだり、ぼーっとしたり、なんの役にも立たないことをして過ごすことや、親にやさしく受けとめてもらって過ごせることは、その子どもの人生の重要な基礎になる、ということなのです。

広い土地にはいろいろな建物ができていく

幼い時に知識を詰め込もうとすることは、その子の可能性をかえって小さくしてしまうと、私は考えています。ですから、自分の子どもにはそうしませんでした。幼い頃には、仲間やきょうだいと遊んで、いろいろな現実のものに触れて過ごす方が、楽しいだけでなく、脳や心の成長にもずっと良いと考えているからです。勉強ができなくても良いと考えて、勉強をさせないのではありません。

子どもの人生を、建物を作っていくイメージで説明してみましょう。幼い頃にたっぷりと遊んで過ごすことは、土地を拡げていくようなものだと私は考えています。広い土地が確保できたら、そこにはいろいろな建物を作ることができるでしょう。一方で、早くから勉強させることは、土地を拡げることを早々にやめてしまって、建物を作りはじめてしまうようなものだと私は思います。勉強だけで比べたら、早くからはじめた子どもの方が、高い建物を作っているかもしれません。しかし、他の建物を作るスペースは、ほとんどないかもしれません。

私は、勉強することは、幸せになるための手段の一つにすぎないと思っています。勉強以外の方向に子どもが進むことも当然ありえるし、起こりうると思います。ですから、広い土地を確保しておくことが大切ではないかと考えるのです。

「羨ましがられる」よりも「幸せだと感じられる」方が大切

以前、ある講演で、右に書いたような話をしました。それは教員対象の講演でしたが、終了後の感想カードに「先生はお医者さんで経済的に心配がないから、お子さんの成績が良くなくても平気でいられるのでしょう」と書かれた方がおられました。子どものためにと、頑張って勉強させている方の多くが、同じような感想を持たれるかもしれませんので、率直な思いを書いておきます。

私は、自分の子どもが勉強をしていなくても成績が良くなくても平気です。上の息子が中学生だった頃、期末テストの成績が芳しくありませんでした。個人面談で「内申点が低いので、行ける高校は限られてきますよ」と担任の先生から言われましたが、私は動じませんでした。なぜなら、子どもには子どもの人生があると思っているからです。

私は、自分の子どもは勉強ができなくて良い、と思っているのではありません。それどころか、勉強はできた方が良い、と思っています。もしも彼らが、受験など、他人との競争に挑む状況になれば、できれば勝ってもらいたいと思っています。

しかし、それ以前に、彼ら自身が自分は幸せだと感じられるような人生を送って欲しいと願っているのです。それは、勉強ができることや、良い学校に進めることよりも、もっと根源的なことだと思います。

勉強ができることや、良い学校に進めることと、本人が幸せと感じられることは、別の問題です。他人から羨ましがられるような学歴や職業の人であっても、本人は少しも幸せでないということはよくあります。その逆もまたしかりです。

子どもが、自分は幸せだと感じられるような人生を送ることができるために、親としてなにができるのか、ということを考えた時に、脳科学や心理学の専門家として、たどり着いたのが、この本で書いたような育児の方法なのです。

3　勉強よりも大切なこと

人として育っていく上で習得すべきこと

当たり前すぎることですが、人として育っていく上で習得すべきことは、勉強だけではありません。

ところが、育児不安が強くなるほど、小学生なのに微分方程式が解けるとか、漢字検定一級をとったなどという、分かりやすい達成に惹《ひ》かれてしまう傾向が親にはあるように思います。親というものはとかく、子どもが他人から見て分かりやすい目的を達成することで、とくに大きな満足と安心がもたらされるようです。

たしかに、まだ幼いのに、二百ヶ国の国旗を覚えているとか、円周率を何千桁《けた》言えるなどという子どもは、それを達成するまでの、そこまでなにかをやり続けるという持久力自体は秀でているかもしれません。

しかし、そのような分かりやすい達成の多くは、コンピュータにさせることが可能なような、実は単純なものにすぎないことだと思います。

そして、むしろ、私は、そういったたぐいの子どもが失っているものや、獲得し損なっているものの方こそが気になってしまいます。というのも、この年齢の子どもであれば、そのような分かりやすいことよりも、もっと重要で、実は困難な、達成すべき課題があると思うからです。

ロボットや人工知能にはできないこと

次のようなことは、ロボットや人工知能には複雑すぎて、まったく不可能なことです。たとえば、「自分のしたいことを相手に上手《うま》く伝えて実現する」ということがそれです。このような一見単純と思われることでさえ、そこに含まれる情報処理は非常に複雑です。

自分のしたいことを相手に伝えるためには、まず、自分の希望や欲求について知らねばなりません。なにをしたいのか、もしくはなにをしたくないのか、それが自分で分かるということが必要です。そして、それを要求として誰かに伝えて、それを叶えるためには、適切な相手を探さねばなりません。そこで、相手の表情や場の雰囲気、さらには人間関係などを見極めることも重要になってきます。また、願いを聞き入れてもらった後に、相手に対して「ありがとう」のメッセージを伝えることも、コミュニケーションを締めくくる意味で、さらに次の機会での成功の確率を高める意味で、とても大切です。

このように、コミュニケーションをめぐる問題を解くことには、数学オリンピックの問題などとは比べものにならない複雑さが含まれています（といっても、私には数学オリンピックの問題は解けませんが……）。ともかく、現段階では、どんなに優れたコンピュータでも、こんなことはできないのです。

ところが、幼い子どもは、無限に変化する状況の中で、試行錯誤を繰り返しながら、このような難問をやすやすと解決していきます。そして、そのことは、このような基本的なコミュニケーションが、いかに人間にとって大切なものであるかということを、端的に表しているとも言えるでしょう。

他にも、そういった例はいくらでも挙げることができます。きょうだいや親子で意見がぶつかる時の調整、相手に悪いことをした時どう謝るか、逆に、相手をどう許すか、相手と自分はどうやって近づいていくのか、などもそうです。

そのような能力は、人が、友だちを作ったり、恋愛をしたり、家族を持ったり、社会の中でさまざまな関係を作り、その中で暮らしていくための基盤となる技術です。そして、このような能力は、安心して失敗できる子どもの時期に、無数の試行錯誤を経て、時間をかけて少しずつ学ばれていくべきものです。

相手の気持ちを知るよりも大事なこと

子どもがどのように世界をとらえているか、とか、他者との関係をどのように体験しているのか、ということは、大人からは想像することが本当に難しいものだと思います。以前にこのようなことがありました。

わが家の四男に絵本を読んでいた時のことです。四男の大好きな西村敏雄《にしむらとしお》さんの『ライオンのすてきないえ』（学研教育出版、二〇一〇年）という絵本です。サルの大工がライオンの家を作りはじめます。ブタが「手伝わせてよ」とやってくるのですが、サルは「仕事のじゃま！」と邪険《じゃけん》に追い払います。ブタはしょんぼり去っていきますが、今度はバナナをたくさん持ってやってきます。そしてサルにバナナをすすめます。お腹一杯になったサルは寝てしまいます。その間にブタは仲間たちと家を勝手に作ってしまいます。目が覚めてできあがっているへんてこな家を見て、サルは「しまった！　どうしよう！」と慌《あわ》てます。しかし結局、ライオンはその家を気に入って、ことなきを得る、というお話です。

その中で四男が一番好きなのは、ブタがバナナを持ってくる場面です。彼はその場面で、いつもすごく嬉《うれ》しそうな顔をします。私はこの場面を「ブタはバナナを使ってサルを懐柔《かいじゅう》したんだな」と思って読んでいました。

しかし、ふと疑問が浮かびました。それは四男に「ブタの下心」が、はたして分かっているのだろうか、ということでした。心理学では「心の理論」と言われる問題ですが、幼い子どもは「相手には相手の思いがある」ということが、まだよく分からないとされています。

四男はその頃、ようやく他人の思いに気づきはじめている段階（「心の理論」が獲得されはじめている段階）にさしかかっていました。それで私は彼に、「ブタさんは、なんでバナナを持ってきたんだろうね？　サルさんにあんなに意地悪を言われたのに」と、たずねてみました。

彼の答えはまったく私の予想外のものでした。

彼はこう答えたのです。「ブタさんは、サルさんに意地悪を言われて悲しかってん。だから、「もうそんな悲しいこと言わないで」って仲直りのバナナを持ってきたんやで」。

彼は、この場面が好きな理由を、サルとブタが仲直りができたからだ、と言うのです。サルがまんまとブタの策略にひっかかってしまった、などとは彼はまったく思っていないのです。おそらく、まだそこまで分からないのです。

四男にそう言われて、そのつもりで読んでみると、ブタには、バナナを使ってサルを思い通りにしてやろう、というような下心はなかった、としてもまったく問題はないのです。それどころか、そうやってブタには下心はなかった、として読んだ方がずっと面白いのです。

絵本がすばらしいということはもちろんだと思います。しかし、子どもは教えられなくても、いや、教えられないからこそ、すばらしいものを持っており、それらは目には見えなくても、しっかりと子どもの心の中に育っているのだということを、この時にもあらためて思い知らされました。

四男もいつか、ブタさんの下心を考えてしまうようになるでしょう。しかし、はじめに身についたものの方が、心の深いところにしっかりと根を据えて生き続ける、というのが心理学の考え方です。世の中や相手を、そして自分自身をも、やさしく見つめる視点は、彼の心の奥でしっかり生き続けてくれるだろう、そして彼や彼の周りの人たちを幸せにするだろうと、私は信じています。

子どもの持っている力のすばらしさ

私は時々少年サッカーの審判をする機会があります。次の例は、ある少年サッカーの大会で、実際に目撃した場面です。

【例】 小学四年生のサッカーの試合にて。二日間厳しい試合を勝ち抜いてきた二つのチームが対決した決勝戦は同点のまま終了した。優勝決定はＰＫ戦に持ち込まれた。それぞれのチームが四人ずつシュートを決めて四対四となり、続く五人目、先攻チームの子のシュートは、枠を外れてバーの上を通過した。シュートに失敗したその子は、頭を抱えてうずくまってしまった。そこで、応援していた親たちも一瞬言葉を失ってしまったが、チームの仲間や味方のゴールキーパーから「いいよ！　いいよ！」「○○（外した子の名前）！　気にすんな！」と大きな声が飛んだ。結局、相手の五人目はシュートを決めて試合終了。負けが決まり、整列している間も、シュートを外した子どもは泣きじゃくっていたが、何人もの仲間が彼を囲み肩を抱いて慰めていた。

この場面で、失敗した子に対して、味方の子どもたちは、間髪入れずに慰める声をかけていました。コーチや親に言われてそうしたのでもないし、声をかけなきゃと意識してそうしたのでもありませんでした。考える前に声が出ていたのです。

コーチや応援の親など、大人たちはみな、一瞬どうしたら良いのか分からなくなっていました。しかし、子どもたちはすばらしい行動を自分から見出《みいだ》し、即座に実行して、仲間を（そして自分たちも）守ったのでした。

このような行動は、教えられてできるようになるものではないと思います。仲間との体験を積み重ねることによって、その素地が少しずつできて、必要な場面で突然現れるものなのでしょう。子どもの持つ力のすばらしさを、私に強烈に実感させてくれた体験として、記憶に焼き付いている光景です。

子どもというものは、大人よりもずっと前向きで、なかなかへこたれません。そして好奇心が旺盛で、立ち直りが早く、相手を許す力も強いのです。対人関係の技術は、このような時期にこそ獲得されるようになっています。

4　先んずれば人を制す？

幼少期は子どもにとって大事な時期である

よく知られているように、言語の習得にはいわゆる臨界期《りんかいき》があるとされています。臨界期とは、ある時期までその言語環境で生活していればいわゆるネイティブスピーカー（その言語を母語として使いこなせる人）になれますが、それ以降では難しいとされる時期のことで、一般に六―十二歳頃までとされています。

これと同じように、人と関係する能力（社会性の能力やコミュニケーションの能力）の獲得についても、そこを逃すと後から身につけることが難しい時期があるらしいことが、いろいろな研究から分かってきています。

育児を経験された方であれば、幼い子どもが他の子ども（とくに自分と同じような年齢の子ども）に強く惹《ひ》きつけられることを知っておられると思います。子どもを連れて外出すれば、彼らは赤ん坊や子どもを見つけるとずっと見つめ続けます。最初は見つめていますが、可能な状況であれば（たとえば公園の砂場や病院の子どもスペースなどで）、ときには相手に近づいていきます。離れて座って相手のまねをしたり、自分のオモチャを相手に見せたりといった、それぞれの年齢に応じた、彼らなりのコミュニケーションをとっていきます。
はじめて出会った相手に近づいてコミュニケーションをとるためには、相手との距離、相手の表情や声の調子、仕草や身振りなど、多くの情報を即座に処理して、相手と自分の状況を理解していくことが求められます。相手の気分やその他いろいろな条件によって、コミュニケーションがうまくいかないことも起こるでしょう。それでも子どもは懲《こ》りません。彼らは少しもめげずに、またチャレンジします。
幼い頃というのは、同じような幼い仲間に囲まれており、見守り支えてくれる大人も周囲にいてくれて、何度も試行錯誤の機会が与えられている貴重な時期だと言えるでしょう。
ところが、たとえば、次のような姿勢で子どもを育てると、どういうことになるでしょうか。

【例】 五歳の男の子の母親。算数が苦手にならないように、早いうちにはじめておこうと自宅で計算を教えている。簡単な足し算引き算、掛け算の九九はできるようになった。早くそろばんを習わせたいが、算数の塾の方が数学の力はつく、とアドバイスをもらった。そろばんと塾では、将来的に役立つのはどちらなのか迷っている。

【例】 小学校低学年の女の子の母親。子どもを学習塾に週三回通わせている。他にも水泳や絵画も習わせている。身近には英会話を習っている子も多い。いずれ必要になるので、英会話も追加したいと考えている。英語の発音は、小さいうちにはじめないと、後からでは間に合わない、と聞いているので気になっている。

たしかに、上手な英語の発音やヒアリング能力を身につけるためには、幼い頃の体験が重要でしょう。

しかし、そのためには、子ども英会話のような、特定の場で週に何回か英語に触れるというようなものではなく、周囲の人がみな英語で話しているような状況、つまり、生きていくために、その言語に子どもが自分からすすんで関心を向けざるをえないような環境が、決定的に重要であるとされています。けれども、この議論はこの本の目的から逸《そ》れるので、ここでは問題にしません。

本題に戻りましょう。家族や友だちに囲まれた安全な環境のもとで、あたたかく見守られながら、人として生きていくための基本的な能力、コミュニケーションの力を、試行錯誤しつつ身につけなければならない時期に、文字や数字で単純化された、ある意味で「簡単な」、そしてリアルではない「お勉強」に長い時間を費やしてしまうということの問題点を、早期教育や「お受験」にはまりこんでしまっている親たちは気がついているでしょうか。

1章にも書きましたように、迷いなくはまりこんでしまって、子どもに押しつけてしまっているような親には、このような思いはけっして受け容れられないということを、私は診察や面接で嫌と言うほど経験しています。そのような親がこの本を読んで「子どもにやさしくしてあげよう」と考えるようになるということは、正直なところあまり期待しておりません。

そうではなくて、たとえば、「こんな小さいうちから、こんなことをさせるのが、本当にこの子のためになるんだろうか」「子どもはもっと楽しく過ごさせてやった方が良いのではないか」などと、疑問を感じておられる親に、この本のメッセージが少しでも届けばと思っています。

文字や数字にないものの大切さ

文字や数字には、さまざまな効用や利点が備わっています。たとえば、ワンワン吠えていても、丸くなって眠っていても、大きくても赤ちゃんでも、「いぬ」は「いぬ」です。いろいろな具体的な個別の情報をとりさって、抽象的な情報を伝えることができます。それが文字や数字の力です。

しかし、幼い時期には、そのような抽象的な情報を扱う前に、まず具体的なものにしっかりと触れることが大切だと思います。

具体的なもの、リアルなものとは、たとえば、木々の葉を揺らす風の音、漏れてくる複雑な光の動き、せせらぎにつけた手に感じる爽快《そうかい》な冷たさ、雨の後の砂場で嗅《か》ぐ湿った砂の香り、はしゃぐ子犬が顔を舐《な》めてくるくすぐったさ、などです。

こうしたものに触れ、それを味わう時間は、一見無駄なように見えて、本当は非常に重要な意味を持っていると私は考えます。まだ幼い脳が、さまざまな体験から受け取ることのできる感覚情報や、それにともなって喚起される感情体験——それらは、「お勉強」のための本やDVDから入ってくる情報とは桁違《けた》いの複雑さ、そして豊かさを持っているのです。

さまざまな感覚を通して触れる、時々刻々変化する生《なま》の世界が、子どもの脳にとりこまれ、イメージの世界を豊かにしていきます。豊かなイメージの世界が作られていれば、やがて本を読むようになった時にも、その内容を深く味わうことができるでしょう。

人間は、何百万年という時間をかけて、刻々と変化する自然の中で進化してきた生き物です。脳研究に携わっている者としては、幼い時期を、文字や数字といったリアルではないものに長時間向き合わされて、机上の知識を詰め込むことに費やしてしまうことは、なんともったいないことかと、感じずにはいられません。

文字に興味がない時期の子どもの行動を一つ紹介しましょう。四男（テル）が四歳の時のことです。保育園に迎えに行った時、上着掛けのところに四男とまったく同じジャンパーを着ている友だちのものが一緒に掛けられていました。彼は襟元のタグに書かれた名前をさっと見て、文字は読めないのに迷わず「これがボクの！」と手に取りました。なぜそれが自分のものと分かったのか彼にたずねると、「ボク（テル）は二つ、ユウキくんは三つ」と答えました。片仮名の文字数で見分けていたのでした。なかなかやるもんだなぁと感心したのを覚えています。

彼は「自分の名前の字を教えて！」とは頼んできませんでした。五歳を過ぎてしばらくして、彼は急に文字に興味を持ち出しました。絵本を読んであげていても、この字はなに？　としょっちゅうたずねるようになりました。そして、すぐにどの字も読めるようになりました。

教えなくても子どもは自分で「発見」する

もしも字が読めるようになってきている子どもの育児中でしたら、観察されると面白いことがあります。平仮名が読めるようになってくると、絵本や、親が読んでいる本、新聞の広告など、目に入る文字をなんでも子どもは読もうとします。

その時に、読み方の規則を彼らがどう学ぶのかを見守ってみてください。たとえば、「もっと」を「もつと」と「つ」を発音して読んだり、「わたしは」の「は（wa）」を、そのまま「は（ha）」と読んだりするでしょう。「おとうさん」は「おとーさん」ですが、子どもは「う」をしっかりと発音するかもしれません。このような時、「小さい「っ」は「つ」と読まないんだよ」とか「「は」は「わ」と読む時があるんだよ」というようなことを教えなくても、子どもはやがて読めるようになります。

絵本などを読み聞かせている時に、子どもは自分でも文字を追って読んでみているのでしょう。そして、自分の思っているような読み方でない時、彼らなりに「修正」して、お母さんやお父さん、幼稚園や保育園の先生が、読んでくれるような読み方に近づけていくのでしょう。もちろん、「なんで「は」なのに「わ」って読むの?」と、子どもがたずねてくることはあります。私もそういう時には、「こういう時は「わ」って読むねん」というふうにごく簡単に教えますが、説明はあまりしません。さらに、読めた時に褒めることもしませんし、間違えても直したりしません。

親が教えなくても、子どもが自分でできるようになっていく、そのすばらしさを是非味わってみてください。親としては、教えたくなるところです。しかし、教えて読めるようになるよりも、見守ることができた、待つことができた、という体験の方が、親としても得るものはずっと大きいと思います。

これは、この先の育児で、子どもが勉強や生活の達成をしていく時、それを親としてどう見守れるか、ということの基礎になると思います。

教えたらすぐできるようになるような課題を子どもができずにいる、その状態を「余裕を持って」「楽しい気分で」見守ってやれると、親はとても楽です。そして、実は子どもの方も、親の干渉が入らないことを分かっていると、自分のチャレンジに自分のペースで向き合えるので、楽なのです。

親が無理に教えなくても、子どもはやがて、文字や数字、時計などに興味を持ちはじめます。その時期は、子どもによってさまざまです。その意味では、離乳の時期やおむつを外《はず》す時期と同じで、タイミングは子どもが自分で決めるのだとも考えられます。

文字のない時期を大切にする

おだてたり叱《しか》ったりして、早く文字を教えることは、なんの利益もないどころか、本当にもったいないことだと私は考えています。わが家の子どもたちにも、私は文字を積極的には教えませんでした。なぜなら、子どもたちの「文字のない時期」を、大切にしてやりたいと考えたからです。

文字が読めるようになると、家の中や街の景色は一変してしまいます。無意識に文字に注意が惹《ひ》き付けられてしまうからです。絵本を読んでいてもそうです。あるいは、美術館で鑑賞者が大きな絵画の前に立ち、肝心の絵ではなく、絵の横にある解説ばかりをじっと見入っているような、そんな状況を思い浮かべてみてください。

文字に関心が向きはじめてしまう前に、世界を十分にゆっくりと眺めて味わうことは、きわめて大事な体験だと私は思います。一人一人で時期の違いはありますが、彼らはやがて文字に興味を持ちはじめます。そうなるとこちらが教えなくても、自分から大人にたずねたりしながら彼らはすぐに文字を覚えてしまいます。

わが家の子どもたちは、文字を読めるようになったのは遅く、小学校に入ってから、はじめて字の書き方を学びました。しかし、どの子も本が好きです。通知表の成績は芳しくないようですが、勉強は嫌いではないようです。

5　不登校は勇気ある行動である

不登校は困ったことではない

私は、不登校を困ったことだとは考えていません。その理由は、後でも書きますが、学校に行かないという行動は、子どもが勇気を出して自分を守るためにとっている行動だからです。

それは、なかなか自分を守ることができなかった子が、追い詰められてようやく決心して敢行した、いわばストライキのようなものです。この勇気ある行動によってはじめて、親や家族、担任の先生やクラスメートたちは、その子が苦しんでいたことを知るのです。

私はこれまで、子どもの不登校についても、多くの親と出会ってきました。面接は、まず親の話を聞くことからはじまりますが、こちらから最初にお伝えするのは「不登校は、子どもが、自分を守るために、勇気を出して選んだ大事な行動です」ということです。その理由は、いまだに多くの親は、不登校を恥ずかしいこと、情けないことだと思っているからです。ですので子どもが不登校になると、多くの場合親は子どもが学校に行けない（行かない）理由を考えるよりもまず、とにかく学校にまた行きはじめて欲しいと考えます。

しかし、このように親が考えることは、子どもが学校に行けなくなっている（行かなくなっている）という、親である自分にとって望ましくない現実を受け容れることを、ある意味で拒否しているとも言えるでしょう。今起こっていることは、なにかの間違いであって、その間違いは、子どもが学校に行きさえすれば消えてなくなる、と考えているのです。

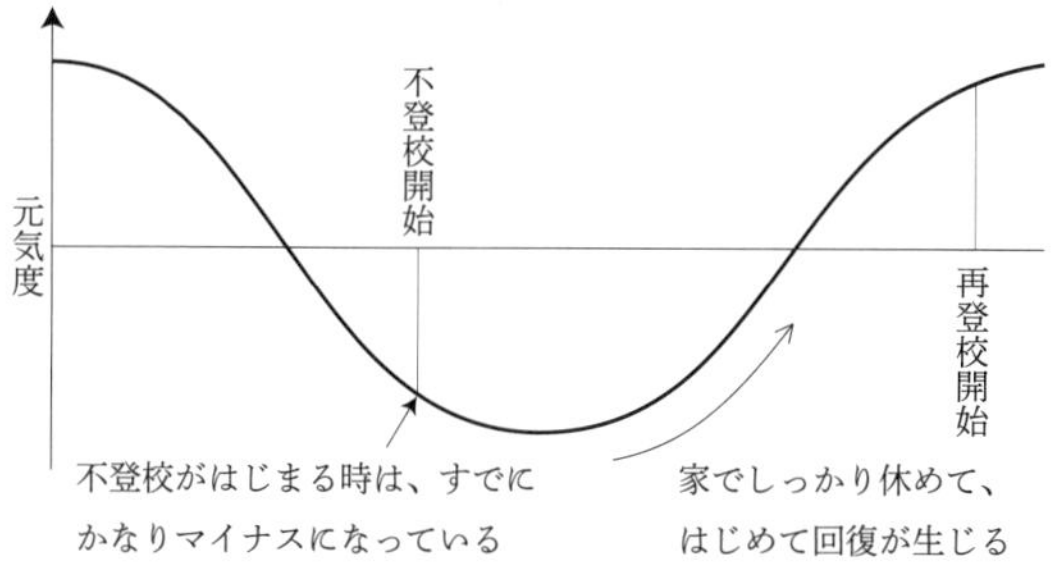

図1　不登校がはじまる時は、すでに子どもはかなり弱っている

不登校がはじまる時、子どもはかなり弱っている

しかし、実際には、不登校がはじまる時は、すでに子どもはかなり弱っていることが多いのです。

図1は、不登校がはじまる時、子どもはどれくらい元気がなくなっているか、そして再登校がはじまる時、元気がどの程度回復しているかを、あくまでもイメージとして表現してみたものです。

たいていの場合において、不登校によって子どもが苦しんでいたことをはじめて知った親は、まず大きなショックを受けます。そして、すぐに子どもを学校に行かせようとすることによって、不登校という問題そのものが、なかったかのようにしようとする親もいます。行きたがらない子どもを叱《しか》りつける、腕を引っ張って家から引きずり出す、車で校門まで送り届ける、など、ありとあらゆる手段を使って、「子どもが学校に行かない」という現実を否認しようとします。

一方、子どもの方でも、学校に行きたくないと言っても、おそらく聞いてもらえないだろうということや、親がショックを受けるであろうということは十分に分かっています。

それだからこそ、しんどくなっても口に出さずに、歯を食いしばって通っていたのでしょう。しかし、ついに、もうこれ以上はどうやっても頑張れない、という状態になってしまったのです。そして、意を決して、学校に行きたくないと表現することができたのです。子どもが不登校になった（苦しみを表現できた）時には、かなりダメージが深くなっているのは、おそらくこのような理由によると考えられます。

そのため、二、三日休んだぐらいでまた学校に戻れるようなケースは、ほとんどないと言えます。もし戻れたとしても、マイナスからプラスへと元気度が回復できたわけではないので、やがてまた問題は起こってきます。元気度がそこまで落ち込むまでにはかなりの時間がかかっています。ですから、それがプラスに転じるにもそれなりの時間がかかるのです。

また、せっかく学校を休めるようになったとしても、家で安心して過ごせないようだと、疲れた心が回復することはかなり難しいでしょう。

したがって、診察や面接の最初には、回復にはそれなりの時間がかかること、子どもがせっかく学校を休んでいても、家で安心して過ごせなければ、元気は回復していかないことを説明します。昼夜逆転の生活をしているとか、ゲームをしすぎる、など表面的な問題に親が小言を言っていては、子どもはエネルギーを回復するどころか、家でも追い詰められていきます。そして結局は不登校が長引くことになります。勉強の遅れや生活習慣などはひとまず目をつぶってでも、子どもが外に出て行けるように元気が回復することを一番の目的にするべきなのです。

サボりたくて不登校になるような子はほとんどいない

【例】 不登校の男子中学生の母親。子どもが不登校になって一ヶ月ほどたって相談に来た。「息子は夜遅くに起きてずっとパソコンでゲームをしています。ゲームがしたいために学校に行かなくなっているのだと思います。いっそパソコンを捨ててしまおうかと思っています。息子はサボりたいだけだと思います」と話した。そこで、「息子さんはゲームをするために学校を休むような、いわゆる不良というようなタイプのお子さんでしたか？」とたずねた。すると「息子はワルで目立つようなことは全然なく、むしろ大人しくて目立たない感じだと思う」と母親は答えた。

子どもが不登校になった理由を本気で考えることは、親としてもなかなか苦しいことだと思われます。自分の子どもがゲームをするために学校を何日もサボれるような子どもかどうか、本当は親には分かっているはずです。しかし、子どもの表面的な行動だけを見て、親にとって受け容れやすい理由を見つけ出すことで、親は少しでも安心できるのかもしれません。この母親のような話し方をされる親に、面接ではしばしば出会います。

不登校になって家で過ごす時間は、子どもにとってはしんどいものだと思います。ゲームをしたり、漫画を読んだり、インターネットでチャットをしたりメールをしたりなどといった、なにか気を紛《まぎ》らわせることが必要なのは、ある意味で当たり前だと思います。

意気地があるからこそ不登校を選べる

面接で、ある不登校の子どもの母親が、「うちの子は意気地《いくじ》がないんです」と言ったことがありました。しかし、意気地がなければ、みんなと違う行動を選択するなどということは怖くてできないはずです。

相当の意気地がなければ、たとえばいじめに遭《あ》っていて、いくら自尊心が傷ついていても、自分を守ってくれない学校に対してノーと言い、そこから離脱することはできないでしょう。

不登校は、子どもが自分を守るために、勇気を持って自分の辛さを表現した行動なのです。むしろ、その勇気ある決断を、「意気地がない」と片付けようとする親にこそ、勇気が足りないと言えます。

いじめを例に挙げましたが、もちろん、問題は、学校にではなく、家庭にあるかもしれません。それでも、子どもにできるSOSの表現手段というのは、大人が考える以上に、とても限られています。

言葉で表現することができない場合に、子どもにできることといえば、なかなか起きずに遅刻する、宿題をしていかない、忘れ物をする、学校に行かない、風呂に入らない、食事をしない、リストカットする、暴力を振るうなど、選択肢はあまりないのです。

繰り返しますが、これらは、親や周囲の大人たちへのメッセージです。なかでも一番信頼できる味方である親に対して、「自分は今とても苦しい」と訴えているのです。

ところで、このような説明をすると、「なぜ口で言ってくれないのでしょうか?」と疑問を呈されることが多いのですが、話をしようとしても、親がちゃんと聞いてくれると思えないから、子どもは話さないのです。あるいは、子ども自身が、自分の状況を「辛い」とか「苦しい」と感じることさえできなくなっている場合もあります。そのような場合、ただひたすら耐えているうちに、問題は重たくなり、やがて、言葉ではなく行動で表現せずにいられなくなるのです。

不登校で問題なのは「勉強が遅れる」とか「進学できない」などではないはず

子どもの不登校で相談に来られている親と面接をしていて、不思議に感じることがあります。それは、不登校になっている子どもの親が、なにに困っているか、なにを不安に思っているか、ということです。面接に来られる多くの親が、「欠席が続くと勉強について行けなくなるのではないか」とか、中学生であれば「高校に進学できなくなるのではないか」、高校生であれば「留年してしまうのではないか」などといった心配を口にされます。

ある不登校の中学生の父親は、朝仕事に行く前に「学校の勉強に遅れないように」問題集に印をつけて宿題を出して出勤されていました。「勉強が遅れることが心配だし、家にいてもなにもしていないのだから」そのようにしていたということでした。しかし、子どもの方は、学校に行かない（行けない）だけでなく、休んで家にいることを近所の人や友だちに見られるのが嫌で、家から出ることさえできなくなっていたのです。子どもがそこまで弱っているのに、そんなふうに困っているのに、勉強に遅れることだけを気にかけるということに、私は違和感を覚えました。

家から出られるようにならなければ、学校に通うどころか、この先、生きていくことにもいろいろと支障が出てくるでしょう。それなのに、「勉強が遅れる」とか「進学できない」とか「留年してしまう」ということを心配されているのが、私には大分ずれているように感じられるのです。私だったら、もしも自分の子どもが家から出られなくなったら、なぜ出られないのか、子どもはなにを考えているのか、なにを感じているのか、まずそちらが気になると思います。

この点は2章で書いた「目に見えるものに偏りすぎている」ということにつながるものです。不登校の場合であれば、とくに最初の頃は、親は、「学校に行けるかどうか」や「勉強について行けているかどうか」など、なにができるか、できないか、ばかり気にしています。しかし、子どもは、学校や勉強どころか、「もう自分は生きていても仕方がないのではないか」と考えるほど苦しんでいることも、けっして珍しいことではないのです。

家庭内暴力について

子どものSOSの表現について、ここで家庭内暴力についても書いておきましょう。

大声を上げたり、壁を叩いたり蹴ったり、コップや皿を壊したり、そして最後は親に手を上げたり（はじめは、押したり突き飛ばしたり、やがて、殴ったり蹴ったり）と、家庭内暴力にはいくつかの段階があります。

いろいろな場合があるので、一概に語るのは良くないのですが、私が出会ってきた家庭内暴力の多くのケースにおいて、親が子どもの話をまともに聞いていないという問題が根底にあるように思います。言うまでもないことかもしれませんが、子どもの話を聞くということは、高いゲーム機を買えとか、車を買えといったたぐいの、無茶な要求を聞き入れるといったことではありません。

私の印象ですが、子どもが暴力に訴えざるをえないような状況になっているケースに共通する特徴として、親のかたくなさがあるように思います。親が自分の正しいと思っていることや価値観を子どもに押しつけようとしている場合が多いように思われます。

そのような場合、子どもは、親の考え方ややり方に異議を唱えるということがそもそも許されていなかったり、意見を述べてもほとんど聞いてもらえない、といった状況に置かれています。そして、子どもは、どう頑張って自分の気持ちを伝えようが、（悪い意味で）親は揺るがないと感じています。

そうなると、子どもが親の心を動かすためには、暴力に訴えるか、もしくは自分を傷つける（リストカットや拒食や過食、非行など）しか手段がなくなるのです。

再登校のタイミング

次に、再登校のタイミングも重要です。家で落ち着いて過ごすことができたとして、マイナスだった元気が、大きくプラスになってきたとします。それで、もう学校に行くことが十分に可能なように見えるぐらいの状態になっても、すぐに子どもが再登校できる（する）わけではありません。これは、元気度がマイナスに転じたからといって、すぐに不登校にならないのと同じです。

ここで私が強調しておきたいのは、いつ再登校できるかはケースによってさまざまですが、決定的に大事なことは、いつ学校に通いはじめるかについては、子どもに任せるべきであるということです。

新学期になるからとか、修学旅行があるからとか、いろいろな理由を付けて、先生や親は再登校をすすめたがります。しかし、せっかくここまで回復したのであれば、大事な決断は子どもにさせるべきです。

再登校は、不登校を決断するのと同じくらい、とても勇気がいることです。それは、親にとっても、子どもの勇気を信じて待つ、貴重な体験をするチャンスです。

水に向かって飛び込むのを怖がっている子どもの背中を押して飛び込ませると、「なんだ、怖くなかった！」と子どもは次から平気で飛び込むようになります。同じように、子どもの元気が回復してきていれば、親や周囲の大人が働きかけて再登校させることは、それほど難しいことではないでしょう。しかし、ここで、子どもが自分で決める、ということが大事なのです。それは、子どもにとっても、長い人生の中で、後々まで生きてくる大切な自信につながります。そして、それは親にとっても、子どもの勇気を信じて待つことができたという重要な経験になります。そのやりとりは、その親子の関係において、先々まで、貴重な絆になるはずです。

不登校のタイミングと子どもの持っている強さ

最後に、強く私の印象に残っている、ある小学生の男の子の不登校の事例を紹介します。

【例】　小学六年生の男の子Aくん。八歳の妹と母親の三人暮らし。両親は一年前に離婚した。Aくんが五年生になった時、それまで住んでいた県から、母親の出身県に引っ越した。母親は不定期に夜勤がある仕事に就いていた。Aくんは、新しい学校になかなかなじめない妹を支えつつ、一所懸命に家事を手伝いながら、元気に学校に通っていた。引っ越して一年たった頃のこと。六年生になってすぐのある晩、母親が遅くに帰宅すると、めずらしく洗濯物が廊下に散らかっていた。そういうことはそれまでになかった。いつもAくんがきちんと片付けていたのだ。疲れていたこともあって、母親はAくんを叱ってしまった。Aくんは突然大きな声で泣き、母親を突き飛ばして、家を飛び出した。そのようなことははじめてだったので母親はとても驚いた。その日の深夜に、Aくんはかなり離れた場所を裸足で歩いていて警察に保護された。そして翌日から学校に行かなくなった。

不登校がはじまった時点で、母親が相談に来られました。そして、面接の中で明らかになったのは、母親がAくんに甘えすぎていたということでした。

離婚で負った心の傷と転居先での仕事と育児のしんどさに、母親も必死で耐えていました。Aくんは、それまでもずっと良い子で、両親の間に入って苦労していたようでした。そして、両親の離婚後は、以前にもまして親によく気を遣うようになりました。さらに、転校して友だちと離れ離れになってしまい毎日淋しがっている妹にもやさしく接してはげましてやり、仕事で帰りの遅い母親に代わって食事のしたくや洗濯も率先してやっていました。

面接では母親に「まずAくんに謝ること、そして、しんどかったのにこれまで助けてくれてありがとうと、感謝の気持ちを伝えてください」とアドバイスしました。

母親は私の説明に納得し、すぐにそのようにしました。学校に行かなくなり、食事の時以外は部屋から出てこなくなっていたAくんに母親が謝ったところ、（母親の表現によれば）Aくんは溶けるようにその場に崩れ落ちたといいます。ずっと険しかった表情が一気に緩んでふにゃふにゃの笑顔になり、その時点から一貫して幼児のように甘えはじめたそうです。

その後は、文字通り一日中母親にべったりの状態になりました。それから二週間ほどの間、Aくんは、着替えも歯磨きも食事も、自分でできなくなりました。言葉も赤ちゃん言葉になりました。母親は休職して、二、三歳ぐらいの子を育てるようにAくんの世話をしました。そして、それから一ヶ月ほどでAくんは元に戻って「オレ、明日学校に行くわ」と宣言し、その翌日から普通に学校に戻ったのでした。

私がなによりも胸を打たれたのは、Aくんが不登校を決断したタイミングです。引っ越してすぐに、Aくんが不登校になっていれば、この家族は崩壊していたでしょう。母親の仕事も妹の通学も、どうなっていたか分かりません。この間、Aくんは、自分だって友だちと別れた悲しみや父親への思いなどを胸に抱きながら、母親や妹のことを、まるで夫や父親のように支えたのでした。

面接で母親の話を聞きながら、私はAくんの心の中を思い、何度も胸が熱くなりました。相談に来られた時点では、母親は、自分に余裕がなかったこともあり、それまで自分がAくんに甘えていたことにまったく気がついていませんでした。

Aくんは、子どもながらに、そのような家族の危機を、それこそ限界まで支えて頑張ったのだと言えるでしょう。そして、その後、母親がそれを受け止めることができることを確かめた上で、「赤ちゃん返り」をすることによって、自分に必要なことを手に入れて、自分を回復させたのです。

私たち人類は、何百万年もの間、過酷な環境下で生き延びてきたのです。そして、今生きている人々はその中でも、身体的にも精神的にも、最もタフであった祖先の末裔なのです。私たちの中には、強く生き延びていく力が備わっていないはずがありません。この事例もまた、そのことを私に強く知らしめてくれるものでした。

6　子どもを信じて愛情を与える

カウンセリングの基本は話を聴くこと

通常の場合、カウンセリングは、クライエントの話を聴くことで進んでいきます。

もちろん、相談内容によっては、クライエントがこうすれば問題（相談に来るきっかけになっていること）は解決するだろうということが、誰から見ても明らかな場合があります。それでも、カウンセラーからアドバイスするのは良い方法ではありません。アドバイスをもらって上手《うま》くいくぐらいなら、本を読んでも上手くいくでしょうし、すでに友だちや家族がアドバイスをくれている場合だってあるでしょう。それで上手くいかないから、お金を払って時間を使って話を聴いてもらいに来ているのです。

大事なことは、クライエントの話すことを（たとえそれがほとんどの人が「ちょっとおかしいな」と感じるようなものであったとしても）とにかく聴くことです。じっくりと聴いてもらえてはじめて、クライエントは自分自身の心に迫っていくことができます。

本当の自分に近づいていくことは、なかなか怖いことでもあります。カウンセラーの役割は、一人では行けない怖いところに、一緒について行くことであるとも言えます。あと少しでたどり着けそうになっても、焦らずに、本人が自分のペースで、そこにたどり着くのを待つことが大事です。

このような考え方の根本には、人間への信頼があります。あるいは生き物への信頼と言っても良いでしょう。生き物には必ず自分を守る力が備わっています。その力が発揮されることを信じて待つのです。

子どもは良くなっていこうとする力を持っている

カウンセリングにおいて大切な姿勢、すなわちクライエントに備わっている力を信じて、たとえカウンセラーから見て良い方向に進んでいなくても（それどころか良くない方向に進んでいこうとも）見守る姿勢、それは育児において子どもを信じる姿勢に通じるものです。

けれども、子どもは未熟なものであり、放っておくと間違った方向に進んでしまうものだ、と思っていると、親は子どもに手出しせずにはいられなくなります。

【例】三歳と一歳の姉妹を育児中の母親。三歳の姉の育児で疲れ果てている。妹が生まれてから、いったん外れていたのに、またオムツに逆戻りをした。もともと好き嫌いが多い子だったが、ますますそれがひどくなった。風呂に入ることも、歯磨きをすることも、嫌がる。やさしく言っても聞かないし、叱《しか》ったり強制しようとすると泣き叫んで抵抗する。自分のこれまでの育て方がいけなかったのかと悩んでいる。ほとんど一日中怒ってばかりという状態である。もっと大らかに接してやるべきなのか。でも、そうするとなにも良くならず、娘は今のままで良いと考えるようになりはしないか。

同じ年頃の周りの子がみなできるようになっていることなのに、自分の子はまだできない、そのような状況でたいていの親は不安になるものです。ましてや、この事例の場合は、下の子に手がかかり親には余裕がなくなっています。迷うのも十分理解できます。

このような時にも「子どもを信じること」という揺るがない方針があれば、大きな救いになります。この子は、妹に手をかけすぎて自分への関心が少なくなっている母親に、自分の窮状を必死で訴えているのでしょう。「私をもっと大事にしてください」と。

このような場合、私であれば全面降伏して、上の子を大事にしてあげると思います。何度トイレを失敗しても、「大丈夫だよ」と片付けてあげますし、甘えてきたらできるかぎり応えてやります。下の子がぐずったりしていても、上の子を優先しさえするでしょう。上の子は、愛情の欠乏を、自分なりの表現で必死で訴えているのですから。

どうしても下の子をかまわないといけない場合は、上の子に謝ると良いでしょう。お姉ちゃんあるいはお兄ちゃんなんだから我慢するのは当然でしょ、という態度ではなく、辛い思いをさせて本当にごめんね、と謝るのです。

そうすることで、どんどん尊大になって手がつけられないようになるような子どもなどいない、と私は思います。親に気を遣《つか》ってもらえば、子どもは相手にも気を遣うようになるのです。そもそも子どもは良くなっていこうとする力を持っているのです。

妹や弟が生まれてストレスがかかった場合、上の子になんらかの形で排泄《はいせつ》をめぐる問題が起こるというのはよくあることです。

精神分析の創始者フロイトは「便は子どもから母親への最初の贈りものである」と指摘しています。私も、子どもたちがはじめてトイレでうんちを出すことができた時の喜びを、四人ともそれぞれはっきりと覚えています（一人目の時などは証拠写真を撮ったほどでした）。「やったな！　すごいやんか！」と大喜びする親を見れば、子どもは自分のしたことがいかに親を喜ばすことなのか、たちどころに理解するでしょう。

それだけに、子どもが親に対して不満を持つと、「もう喜ばせてやらないぞ」と言わんばかりに、「贈りもの」をストップするのです。それが自分の体にとって良くないことでも、そうしてしまうのです。

愛情はなんでもない時に何回でも

子どもに対して「あなたが生まれてくれて良かったよ」とか、「君がいてくれるからお父さんは（お母さんは）幸せだよ」といった言葉をかけてやることは、親から子どもへのすばらしい贈りものです。なんでもない時に、何回でも言って良いのです。子どもが幼い時は、親も照れることなく自然に言うことができます。自然に言える間に、何回でも言ってあげるべきです。それは親自身の幸せにもつながります。

長谷川博一《はせがわひろかず》先生も『魔法の「しつけ」』という本の中で、子どもが自分で自分を好きになることの大切さを強調しておられます（二〇八―二二五頁）。褒めるのではなく、子どもの存在そのものを肯定することと、「好きだよ」「大事な子だよ」などのメッセージを普段の生活の中で何度も届けることこそ「しつけに見えない本当のしつけの奥義」であると述べておられます。

いたずらばかりしてしまう幼い子に対しても同じです。その子は、近い将来に自分のことを嫌うようになるでしょうし、すでに「親から嫌われている」とぼんやり感じ始めているかもしれません。こんな子が必要としているのは、いたずらを注意されることではなく、「好きだよ」と何度も言ってもらうことなのです。それも、何かよいことをしたときにではなく、ことさらほめる理由のないときに。あるいはこの子が問題を起こした場面でこそ、「大事な子だ」と言われること。その効果は大きいでしょう。

（同書、二一八頁）

また、親が子どもに謝ることも、愛情を表現する言葉をかけるのと同じような効果があると思います。親は親なりに頑張って、どれほど子どもを大事にしてきても、たいていの場合、子どもはいろいろと不満を持っているものです。

そこで、親の立場からしたら、なにも謝るほどのことなどない、と思うような場合でも、子どもに愛情を与えるために、チャンスがあれば謝るのです。そして、その際に大事なのは、子どもの側に立って、子どもが、親のことをどう思っているか、親がしたことをどう受け取っているかを感じることです。

「小さい頃にもっと遊んでやりたかったけど、忙しくて時間がなかったんだ。ごめんな」「あなたが話しかけてくれたのに、お母さんは忙しくて話を聞いてあげられなかった。淋しかったでしょうね。ごめんね」。このように謝ってもらうことは、子どもにとっては、愛情を表現した言葉を与えてもらっているのと同じことになります。

愛情には条件をつけない

なにかプレゼントを買ってもらったり、遊園地に連れて行ってもらったりすることも、子どもにとっては素直に嬉《うれ》しいことです。そして、そのタイミングは、なにか子どもが良いこと（親にとって良いこと）をした時のご褒美としてではなく、なんでもない時に、無条件に与えるのが良いと思います。愛情には条件がないのが良いのです。

かつてこのような話をある講演でした時に、「わが家には余裕がないので、そんなに簡単にものを買ってやったりなんてできません」というコメントをされた方がおられました。その時、私は、できる範囲で、買ってあげたくなった時に買ってあげれば良いのです、子どもは親が思うよりもずっとよく家の事情を分かっているものですよ、とお答えしました。

こういうことを私が考えるようになった根拠があります。大きくなってからも、親に対してしつこく小遣いを要求したり、車や高価な服を買わせたりするような人がいます。実は、そのような人たちの多くが、子どもだった頃に、親からいろいろな条件をつけられていた場合がとても多いのです。

そのような人は、なにかを買ってもらうにしても、成績が上がったからとか、高校に合格したから、などといった条件がつけられていたのです。

条件をつけてものを買い与えるのは、愛情ではなく取引だと私は思います。取引ではなく、無条件のものとして、愛情を子どもに与えてあげましょう。

7　まず好きになる

私がしでかした失敗

わが家で飼っている犬がまだ小さかった頃の話です。予防接種も済んで三ヶ月になり、散歩をはじめることになりました。

犬を飼うのははじめてではなかったのですが、今度は最初からきちんとしつけて、賢い犬にしようと張り切っていました。犬の飼い方の本には「散歩の時には、犬の好きなようにどんどん行かせてはダメです」「散歩のしつけは最初が肝心です。飼い主より先に行こうとする時は、進む向きを変えたりリードを少しひっぱったりして、「ダメだ」と教える必要があります」などといったことが書いてありました。

私はその通りにやりました。はじめて外に出た子犬は、興奮していろいろな方向に行こうとし、走ったり跳ねたりしました。また、他の犬に出会うと吠えたり逃げたりと、子犬らしく、とにかくよく動いていました。生まれてはじめて見る外の世界に興奮していたのです。

私は子犬が駆け出したり跳ねたりするたびに「ダメ！」と叱《しか》っていました。やがて子犬は次第に元気がなくなり、しまいには動こうとしなくなってしまいました。結局、私は子犬を抱いて家に帰らねばなりませんでした。

翌日、散歩に行こうとリードを持って子犬のところに行くと、子犬は怖がって逃げてしまい小屋の中で小さくなって震えていました。前日にいろいろと叱られたので、リードをつけられることや散歩に連れて行かれることは、怖いことだと学習してしまったのです。この後、この犬が散歩を好きになるまでにかなり長い時間がかかりました。

この哀れな飼い主（私のことですが、いや、可哀想なのは子犬の方ですね）は、きちんと育てたい、という思いが強すぎて、大切なことを忘れてしまっていたのです。育児に関する相談を仕事にしていて、大学で心理学を教えていても、こんな失敗をするのです。

学びの順序

ここで私が間違えたのは学びの順序です。子犬は、「散歩の時には飼い主より先に行かない」とか「よその犬に会っても吠えてはダメ」などといったことを学ばされるよりも先に、もっとずっと大切なことを学ぶべきだったのです。

それは、「散歩は楽しい！」とか「飼い主と外に出かけるのは楽しい！」ということです。まず、飼い主と散歩に出ることを大好きになるべきなのです。私はあやうく犬の一番の喜びを奪ってしまうところでした。子犬は、リードを見て逃げ出すという行動によって、愚かな飼い主にその間違いを悟らせてくれたのです。

この失敗を育児にあてはめて考えるならば、次のような教訓を導き出すことができるでしょう。すなわち、生きていく上で基本となる行為については、「まず好きになる」ことが大切であって、それが「上手にできる」とか「正しくできる」のは、好きになった後で良い、ということです。

育児においても、親に余裕がなければ、「できるのは当たり前」であり「好きになるかどうかなんてどうでもよい」と考えてしまうことが多いように思います。とにかく「人並みに、できれば人並み以上に、上手に」できるようになること、そういったことを知らぬ間に前提にしてしまいがちです。

「まず好きになる」ことが大切というのは、いろいろなことにあてはまります。新しい友だちと出会うこと、知らないところに行くこと、といった未経験の事柄にチャレンジする場合はもちろん、食事をすること、お風呂に入ること、といった日常生活の基本要素についても、「まず好きになる」ことはとても大切です。

私が、この本で最も強く主張したいことは、このようないろいろなことを、子どもが「まず好きになる」ということの大切さです。そして、親は、このことを子育てにおける一番の目標に据えるべき、あるいはもっと言うと、このことだけを目標にするのでも良いと私は考えます。


「まず好きになる」は「生きることを好きになる」につながる

「まず好きになる」という育児の目標は「生きることを好きになる」ということにつながります。生きることを好きになることができれば、そのことは、子どもが大人になってからも、本人の命を守る支えとなるでしょう。極端なことを言うようですが、生きることが好きな子どもであれば、大人になっていくら苦しい状況に追い込まれても、たとえば自殺という選択肢をとらないのではないかと思うのです。

私は、自分の子どもたちには「どんなことでも死ぬよりはまし」という感覚を持って欲しいと思っています。それは、「こんなことなら死んだ方がまし」という思考の対極に位置するものです。

私は子どもを信じています。それは、信じていれば「悪いことはしないだろう」とか「親が悲しむことはしないだろう」という意味ではないのです。たとえ子どもが、どんなに親の望まないことをしたとしても、私は自分の子どもたちを「愛するに値する存在だ」と信じ続けるということです。

8　きちんとすることよりも好きになることを

食べることも「まず好きになる」が大切

たとえば、「食べる」ということをめぐって、子どもたちが、どのようにそれを学んでいくべきか、家族でのふれあいの中心となることの多い食事の場面を例にとって考えていきましょう。
新聞記事に、一歳児の母親の不安として、以下のような例が紹介されていました。

《途方に暮れて……》

一歳二カ月の長女を育てる大阪府の母親（二九）は「最近、虐待のニュースを見ていると子育てが分からなくなる。どうやってしつけていいものか。たたいてもいいものなのか」。

長女は食事の際、何でも自分でやってみたいのか、スプーンを持たせないと火がついたように泣き続ける。自由にさせると食べ物をまき散らし、満足そうにしているが、ほとんど食べていない。

「再び準備して食べさせようとしても、また同じことを繰り返す。どうすればいいか途方に暮れている。それでも、このまま好きにさせていたらわがままに育って将来、本人が苦労するだろうと心配にもなる」。

虐待により子供を死なせたり、けがを負わせたりした親と自分は何が違うのか。どこまでがしつけで、どこからが虐待なのか。その境はどこにあるのか。

（「産経新聞」二〇一〇年九月二一日付朝刊［東京版］）

この記事のような一歳児であれば、きちんと食べることにこだわる必要はないと私なら思います。まず、真剣に食べようとしないということは、栄養的にはまだミルクが主体だということでしょう。ですから、その点について心配する必要はないはずです。

そして、スプーンを持って食べ物をまき散らすことを、子どもが楽しそうにやっているのなら、ある程度覚悟して（こぼれたり飛んだりしても、いいように準備しておいて）、思う存分にやらせてあげたら良いでしょう。

親としては、どうやってきちんと食べさせようかと悩むのではなく、「こんなに小さいのに、家族と一緒に食卓につきたいのだ」とか、「スプーンを持って食べ物に向かう意欲だけは十分にあるな」というふうに捉えて、ことを焦らず、子どもを愛《め》でてやれば良いと思います。

そうしているうちに、やがて偶然上手《うま》く食べられることもあるでしょう。次第にスプーンで食べ物を口に運ぶことができるようになり、そして、いつかきちんとこぼさずに食べる日が来るでしょう。

きちんとできるのはその後で

子どもを育て上げた人ならば誰もが、後から振り返ってみれば、こぼしてばかりの時期など、あっという間に過ぎたなあと、懐かしくさえ感じると思います。

片付けることの面倒さはありますが、食事を好きになるという非常に重要な課題に、子どもは順調に向き合っているのだと思って、やさしく見守ってあげれば良いでしょう。

同じ年の子やもっと小さな子がきちんと食べられるのに、などと心配することも必要ありません。一人一人の子どもには、その子だけの、その子にふさわしいペースがあるのです。

ところが、親が焦っていたり余裕がないような場合には、ネガティブな捉え方しかできなくなります。「このまま好きにさせていたら、わがままに育って、将来本人が苦労するだろう」といったような心配は、多くの親が持つ不安なのだと思います。

しかし、子どもは成長していくものです。子どもを信じる気持ちを持っていれば「五歳になっても、十歳になっても、食べ物をまき散らし続けて喜ぶ子どもはいない」というふうに考える余裕を持つことができると思います。子どもは、親に叱《しか》られるとか褒められるということに関係なく、自分自身の誇りのために、きちんとできるようになりたいと願っている生き物なのです。ただ、そのペースや順序が、親の思っているのとは少し違うだけなのです。

少し話は逸《そ》れますが、他の家族と同じように自分も食卓に着きたい、他の家族と同じように自分も同じ食器で食べたい、他の人と同じようにしたい、という気持ちは、たとえば、子どもが学校に行きたいと思う気持ちのもとになっているのではないかと私は思います。

そのような大事な気持ちが、今この子の中に育ちつつあるのだと、畏《おそ》れや敬意を持って、私は自分の子どもたちを見守ってきました。そして、絨毯の上にこぼれるカレーや、座布団に染み込む牛乳に、何度も悲鳴をあげたりもしました。

こぼれおちる食べ物は、無駄であるように見えます。食べ物を粗末にするなんて、という批判も聞こえてきそうです。それでも、こぼしながらも子どもの好きにさせてやることは、子どもの食育のためにも、生きることを好きになるためにも、将来への大きな投資（この見返りは大きいと思います）になっていいますのだということを、右の記事のような悩めるお母さんやお父さんに伝えて励ましてあげたいと思っています。

食事は家族の楽しみの時間

食事は家族の楽しみの時間のはずです。しかし幼い子どもはしばしば注意の集中砲火を浴びてしまいます。子どもが「お水」と言えば「「お水ちょうだい」でしょ」とただちに直されます。子どもに向かう言葉はどれも厳しいものです。

「お箸をちゃんと持って」「左手はどこにあるの」「ちゃんと座って」「口の中にものがあるのにしゃべらない」「もっとゆっくり食べなさい」「もっと早く食べなさい」「お醤油かけすぎたら体に悪いよ」「もっと食べなさい」「食べすぎたらあかんよ」「こぼれるよ」「ほらこぼした」「こぼすって言ったでしょ」「野菜も食べなさい」「魚を食べなさい、体に良いから」「ぴかぴかにしてないよ」「スープが冷めるよ」「ごちそうさまは」「食器を片付ける」等々。

祖父母が同居の場合などは、さらにたくさんの目が子どもに集中します。子どもの動作は、一つ一つが監視されてしまいます。

そうなると、楽しいはずの食事の時間は、緊張を強いられ、嫌な言葉をかけ続けられる、辛い時間になってしまいます。もしも叱る親が強迫的《きょうはくてき》である場合は、叱られる子どもは、どこまで努力しても、結局なにかのことで叱られてしまうでしょう。

そのような状況を、親は「しつけ」であり「子どものためだ」と言うかもしれません。しかし、私に言わせれば、それは虐待です。楽しく過ごせるはずの時間は奪われ大きな苦痛が与えられます。そして、この先の長い人生で食事の時間が嫌いになるよう、幼心に深く彫り込まれてしまうのです。

偏食も必要以上に気にしない

また、偏食に関して必要以上に心配する親も多くいます。けれども、子どもは野菜が嫌いで当たり前と思ってしまえば良いと、私は考えています。一般に、食べ物の好き嫌いは個人差が大きいものです。野菜が苦手な子の場合など、三歳頃までは、本人が意を決して食べようとしても、口がはき出してしまうといったこともよくあります。おそらく体がまだ受け付けないのでしょう。

子どもを信じる（生き物としての力を信じる）という立場からは、身体が本当に必要なら、やがて食べはじめるというぐらいに、大らかに待ってやれば良いのです。

魚が頭に良いとか、野菜を何グラム食べなさいとか、物質的なことにとらわれる前に、余計な干渉をできるだけ控えて、子どもが食べることを好きになることを邪魔しないようにしたいものです。そうすれば、子どもは自分の食欲にきちんと向き合うことができるようになるでしょう。

私も上の子どもたちが小さかった頃は、どうやって野菜を食べさせようかと、いつも気にしていました。ある時オムツを替えていて、せっかく細かく刻んで食べさせたニンジンやピーマンが、ほとんどそのまま排泄《はいせつ》されているのを何度か目撃してしまいました。そんなことからも、無理に食べさせてもそれは親の自己満足に過ぎないのかもしれない、と私は思うようになりました。そして、野菜を食べるかどうかは子どもたちに任せるようにしました。それでも、野菜嫌いだった上の二人も、今では「今日の晩ご飯、野菜が少ないなぁ……」などと不平を言うことさえあります。こんなことからも、無理に食べさせなくても、時期が来たら食べるようになるということを実感します。

子どもを信じて待ってやる

四男が二歳になったばかりの頃のことです。彼は家族と一緒に食卓につきたがりました。まだ背が低く食器に手が届かないのに、子ども用の補助椅子に座るのは、プライドが許さないようで、絶対にいやがりました。テーブルの面には、顔だけが出ている状態なので、コップに手を伸ばしてはひっくり返します。お箸でご飯を食べようとしますが、何度も何度もこぼします。そこで、スプーンで食べるように言われても「お兄ちゃんたちのようにお箸で食べたい」と言って聞きません。しかし、握り箸なのであまり食べられません。それでも、栄養のバランスよりも、食べることを楽しむようにと、私たちはそんな彼を見守ることにしました。

こんなこともありました。四男は四歳になってもパンの耳は食べませんでした。彼の朝食の皿にはパンの耳がきれいに残っていました。いつも私がそれを食べていました。やがて、耳が全部は残っていないような朝が時々あるようになりました。五歳になった頃には、耳はめったに残らないようになりました。私たちは「見守る」という方針の下、「ちゃんとパンの耳も食べなさい」とか「耳が嫌いなら先に耳から食べたら」などといったことは、意識して一度も言わないようにしていました。そして、彼が耳を食べた時にも「偉いな！　耳も食べられるようになったね」といったように褒めるということも一切《いっさい》しませんでした。

パンの耳の食べ方という、とても些細《ささい》なことではありますが、指示したり、褒めて導いたりしなくても、子どもは自分なりのペースで「きちんとできるようになる」というのは、たとえばこういうことです。

子どもにとって、このような日常の中の些細な達成を大事に見守ってもらうことが、自分のことに自分で向き合っていけるようになるために、大切な基礎になると私は思っています。

そして、親にとっても、注意したり教えたりしなくても、子どもが自分でできるようになるのを見守ることができたという貴重な体験になります。

そのような体験の素材は、特別の時間や場所でなくても、いくらでも出会えると思います。幼い子どもの日常の些細な場面には、こういったことが無数に準備されているのです。

トイレで食事をする大学生たち

さて、食べること、食卓を囲んで人と話をすることについて「まず好きになる」ことに失敗したら、どうなるでしょうか。実は、その結果、食事を「怖い場所で苦痛の時間を過ごすこと」としか感じられないようになってしまったという人も少なからずいるのです。

ある大学生は、学食が苦手で、自分の車の中で食事をすることが多いそうです。彼は、他の人がいると、食べ物の味が分からなかったり、自分が空腹なのか満腹なのかさえ分からなくなる、と言います。

かつて摂食障害の治療で私のところに来ていた二十代の女性は、他人がいるところでは食事ができませんでした。彼女は、食事ができないだけでなく、他人がいるところで口を開けることすら、すごく恥ずかしいことに思えて、どうしてもできないと言っていました。

信じられない方もおられるかもしれませんが、最近の大学ではトイレで食事をする学生が増えているようです。かつて私が勤務していた大学でも、パンやおにぎりの包み、飲み物などの空き容器がトイレに落ちていたという報告をよく耳にしました。これもまた、食べることを好きになることに失敗したことと、なにか関係があるのかもしれません。

本当に子どもの幸せに役立つのかを意識する

もちろん私も、たとえば子どもが食事の前にお菓子やアイスを食べたがる時などは、本当に葛藤しつつ育児をしています。

たとえば、『5歳までのゆっくり子育て――「意欲」と「思いやり」のはぐくみ方』（PHP文庫、一九九二年）など育児に関する名著をたくさん書かれている平井信義《ひらいのぶよし》先生は、子育てにおいて「しつけ」はほとんど必要ないとされている方ですが、食事だけは、ちゃんとお腹を空《す》かせて毎回の食事を子どもにさせることを親は目指さないといけない、と書いておられます。

というわけで、絶対これが正しいという答えはないのだと思いますが、親はいつでも「今、自分が子どもに強制しようとしていることは、本当に子どもの幸せに役立つのか」ということを、意識しておくことが重要だと考えます。

きちんとすることより好きになることを

食事の話題を離れて、きちんとすることにこだわることの弊害について、もう少し書きましょう。テニスや水泳あるいはピアノやバイオリンを早くから習わせている親の中に、「遊びでやって変な癖がつく前にきちんと習わせてあげたいから」などと言う人がいます。

勉強もスポーツも英会話も同じですが、親が押しつけて、きちんとさせようとする、その強迫的な考えのために、本当は子どもにとって楽しいものが、苦痛になってしまっている例によく出会います。

【例】 二十歳の大学生（女性）。小学校にも上がっていない時から塾に行かされた。その宿題で毎朝九九や漢字のドリルをやらされた。母親が横で見張っていて、漢字を一つでも間違えたら、最初から全部書き直しをさせられた。自分が勉強嫌いになったのは、あの時、無理矢理やらされたからだと思う。

このようなやり方は、どうやったら子どもが勉強を嫌いになるかという見本のようです。無理にやらせなければ、子どもは自分のペースで、いつか勉強をはじめるでしょう。親が無理にやらせようと邪魔していると、いつまでたっても子どもが自主的に勉強するような時期は来ないかもしれません。

子どもはいつか自分のペースでやりはじめる、と子どもを信じて見守ってやることが、子どもの本当のやる気を引き出す唯一の方法だと私は思います。いったん子どもに本当のやる気が出たら、押しつけられてやらされていた子どもよりもずっと生き生きと、自分のために勉強をはじめるでしょう。

9　子どもは導かないと成長しないのか？

子どもは叱られなくても褒められなくてもきちんとしようと思っている

なんでも小言を言ってきちんとさせようとする親は、子どもという生き物は正しく導いてやらないと成長できないのだと信じているようです。しかし本当にそうでしょうか。

私は、自分の子ども、遊びサークルの子ども、診察で出会う子どもと、これまでたくさんの子どもたちの成長を見てきました。そして、彼らの一人一人が、親から指示されなくても、いろいろなことをきちんとできるようになりたいという思いを持っているということ、その証拠となるような場面をたくさん目撃してきました。

自分で牛乳を飲むと言い出した四歳の息子

わが家の四男がまだ四歳の時のことです。彼が「牛乳飲む！」と言いました。私が「入れようか？」と聞くと、彼は「自分で！」と答えます。

それまでずっと親が入れてやっていたのですが、見ていると、自分で椅子を冷蔵庫の前まで運んで、椅子に登って扉を開けました。牛乳パックはいかにも子どもには重たそうですが、両手で持って取り出します。危なげに運び食卓の上に置いて、続いてコップを出してきました。牛乳パックの口のところを、ぐちゃぐちゃに触って広げています。それを見ていると「そこを手で触ったらばい菌が牛乳に入ってしまう」と言いたくなりましたが、なんとか辛抱しました。

いよいよコップに注《そそ》ごうとして、牛乳パックを持ち上げ傾けましたが、持っている位置が明らかに低すぎます。案の定、一気にどっと牛乳が出て、牛乳パックを落としそうになり、コップも倒れました。ここでも「ああっ！」と大声を出しそうになりましたが、予想していたので我慢できました。

彼は「あっ！」と小さく言って、ちらっとこちらを見ましたが、すぐに「タオル、タオル」と風呂場の方にかけていきました。バスタオルを持って戻ってきて、自分で床やテーブルの牛乳を拭きました。「そういう時はバスタオルではなく雑巾で拭いて欲しかったな」と心の中では思いましたが、なんとか口に出さずに我慢しました。

このあたりで私は彼を見ていることが楽しくなってきました。拭き終えた彼は私の方を見て「拭いたよ」とだけ言いました。そして、大分軽くなり持ちやすくなったパックを持ち上げて、牛乳をコップに入れて飲みました。こちらはなにも言いませんでしたが、自分から牛乳パックは冷蔵庫に戻しました。冷蔵庫の前まで運ばれた椅子はそのまま、牛乳を拭いたバスタオルもそのままでした。タオルはすぐには洗濯機に入れずに、私がちゃんと洗面所でもみ洗いして、染み込んだ牛乳を洗い流しました。

このような場面で、最初から「君がやったらこぼすから」と言って、子どもにやらせないという接し方もありえます。また、子どもにやらせるにしても、運び方や注ぎ方などいろいろと注意をして、失敗させないようにすることもできます。後片付けについても、椅子も拭いたタオルも元に戻すように言う人もいると思います。

しかし、私は、こういう場合に極力なにも言わないことにしています。それは、成功も失敗も、子ども自身にきちんと味わってもらいたいと思っているからです。そして、子どもがそのような体験をすることを、邪魔せず見守りたいと思っているからです。

牛乳をコップに注ぐことについては、同じような場面がその後もしばらくありました。こぼしたのははじめの頃の数回だけでした。

上手《うま》く注げた時も「お！　上手に入れられたね！」などの言葉はかけませんでした。こぼした牛乳を彼が自分で片付けた時も同じです。とはいえ、けっして無視しているのではありません。彼もまた、私がそこにいて、自分のやっていることを見ていることは分かっています。私は子どもに「君のやっていることを見守っているよ」というメッセージを送っているつもりです。監視しているのではなく、関心を持って見ているのです。そして、失敗しても口は出しません。

このような関わり方は、カウンセリングでカウンセラーがクライエントに向き合う姿勢に通じるものがあると私は思います。口を出さずにクライエントの話を聴きます。なかなか話がはじまらなくても、関心を持って一緒にいます。こういったことは、カウンセリングの基本として教科書のはじめに出てくることですが、実際の面接で、このような関わり方が非常に重要であることを、私は、何度も自分で体験して理解しました。そして、子どもに接する時にも、あれこれ話しかけるのでもなく、無視して放っておくのでもない、同じような関わり方ができるのだということが分かってきました。

騒がずに淡々と振る舞う

子どもがぎこちない手つきでなにかをしようとしている時、なにも言わずに見守るのは難しいものです。よほど注意していなければ、それまでの習慣でいろいろと声をかけてしまいます。

しかしここで、「失敗させまい」とするのではなく「今はむしろ失敗するべき」と考えて腹をくくることで、見守ることができるようになると思います。そして、失敗した時こそが「愛情の見せどころ」です。右の例では、子どもが自分でこぼした牛乳を拭きましたが、もっと幼い子どもの場合ならば、親が後片付けをすることになるでしょう。その時には、あくまでも淡々とやるのが大事だと思います。

たとえば、食卓で、水の入ったコップを取ろうと手を伸ばして、すぐ横にあったみそ汁のお椀をひっくり返してしまったとします。こんな時に親は「あーあー！」とか「ちょっと！　早くふきん取って！早く！」などと騒いでしまいがちです。

しかし、親がそれをこらえて淡々と振る舞うことで、子どもは自分に起こった不幸を、邪魔されずにしっかり味わうことができます。周囲が騒がなくても、ましてや叱《しか》られたり注意されたりしなくても、子どもは彼らなりの達成感や屈辱感を味わいながら成長していくのです。

Ⅱ　親子の関係

10　親と子の別れ

親と子には何度も別れがある

はじめは親の中に宿り育った命ですが、子どもはやがて親とは別の一人の人間になります。成長するにしたがって、子どもは親から離れて独立していきます。その間、親と子の間には、数え切れないくらいたくさんの別れのステップがあります。この章では、その中でも重要だと考えられる四つの別れについて説明します。

診察や面接で親子の問題に向き合う時、私はいつも、この親子の問題はどの段階の別れにおけるものなのか、ということを考えながら診察をしています。

四つの別れの段階

①**誕生**　母親のお腹の中で育ってきた赤ん坊が、外の世界に出て呼吸をはじめます。臍の緒も切れて母と子の身体が物理的に分離する段階です。

②**再接近期**　子どもが「自分と母親は別の存在である」と意識しはじめる時期です。母親も同じように「子どもは自分とは別の存在である」と気がついていきます。一歳半頃から二歳半頃までとされて

います。子どもが母親を強く求める時期でもあり、そのため「再接近」という語が使われます。

③一次反抗期　子どもが「自分の思いと親の思いは違う」ということを意識しはじめる時期です。言葉が上手《うま》く使えるようになり、自分の思いが表現できるようになります。二歳頃からとされます。

④二次反抗期　子どもが「親の価値観と自分の価値観は違う」ということを意識しはじめる時期です。あたかも親との距離を確認するかのように、親が眉をひそめるような行動や格好をわざとしたがったりします。一方で、別れていく淋しさのために妙にべたべたしてくることもあり、親は戸惑うことも多い時期です。

第1の別れ──「誕生」

分娩で母親の身体の中から外の世界に出て、臍《へそ》の緒《お》が切られます。子どもは母親との文字通りの一体の時代を終えます。これが第1の別れです。

この時期の問題でよく知られているのが、産後鬱《さんごうつ》（マタニティブルー）と呼ばれる問題です。母親は、たとえば「この幼い子どもを、自分が育てていくことができるだろうか」といったような具体的な不安を表現する場合もありますが、理由が分からないのに、強い怒りや悲しみが母親を襲う場合もあります。

この時期に母親を襲う漠然とした強い不安について、多くの母子を調査したセルマ・フライバーグは、「赤ちゃん部屋のおばけ（ghosts in the nursery）」という表現を用いて説明しています。

たとえば、泣いている赤ん坊に対して、母親にふと強い怒りや悲しみが浮かぶことがあります。それは母親自身がまだ赤ん坊だった時に、その母親に浮かんだ怒りであるとされています。赤ん坊は、自分を抱いている母親の強い怒りや悲しみを、赤ん坊独特の受け止め方で感じ取って記憶していると考えられています。

そして、大人になるまで長い間心の奥底に封印されていた記憶が、自分が母親となった時に、自分の赤ん坊が「鏡」となって映し出されるかのようによみがえってくるというのです。

第2の別れ――「再接近期」

赤ん坊はどんどん成長します。ハイハイから、つかまり立ちして、そして歩けるようになります。歩きはじめの頃は放っておかれることはなく、母親や周囲の大人は子どもにずっと関心を向けています。一人で歩けるようになると、親が注意していないと、子どもはどんどんと好きな方に行ってしまうからです。

こうして子どもの移動能力が高まった結果、子どもが自分と母親の距離を意識するようになる時期が来るのです。

一歳半頃になると子どもは、「ママ！　どこ⁉」というような言葉をよく言うようになります。これには、親の側の要因と子どもの側の要因があると考えられています。

歩きはじめの頃は、いつ転ぶか分からないし、柱やテーブルに頭をぶつけるかもしれません。親はずっと心配して、子どものことを近くで見守っています。

ところが、一歳半頃になり、歩くことが上手になってくると、親も気持ちに余裕が出てきて、監視がおろそかになってきます。すると、家の中や外出先で、子どもは気がつくと親が近くにいないという体験をするようになってきます。

子どもはそれまでは、「自分がどこに行っても、親は自分をずっと見てくれている、いつ顔を上げても親はそこにいる」というような認識を持っています。それは現実には正しくない場合もあるのですが、そう思い込んでいることで大きな安心感を得られます。

これは子どもにとって重要なことであるとされます。児童精神医学者のドナルド・ウィニコットは、このような子どもの思い込みが次第に薄れていって、現実に近づいていくことを「脱錯覚《だっさっかく》」と呼びました。親はいつも自分の側にいてくれるわけではない、親はなんでもできて自分をどんなことからも守ってくれるわけではない、という思いを、子どもは（そこまで具体的に言語化して意識するわけではありませんが）次第に得ていくのです。これが第2の別れです。

第3の別れ――「一次反抗期」

子どもは、二歳頃から急激に言葉が上手になってきます。それまで蓄えられてきた言語の知識や能力が、ダムにたまった水が一気に放出されるようにあふれ出してくるという意味で、この時期は「言語の決壊期《けっかいき》」とも呼ばれます。

そして、この時期には、それまで素直だった子どもが、急に「いやだ！」などと自己主張するようになり、親は驚かされます。これが第3の別れです。

この、いわゆる一次反抗期は、親にとっては大きな試練となります。けれども、育て方が悪かったのかと悩んだり、無理に抑え込もうとしたり、なにかご褒美を与えることで子どもをなだめようとしたりする必要はまったくありません。順調に成長しているのだなと安心してこの時期を楽しんだら良いのです。

この時期の子どもの自己主張を、過剰なまでに怖れ、心配し抑え込もうとする親に時々出会います。ある母親はこんなことを言っていました。

【例】 二歳半の男の子の母親の話。「子どもが言うことを聞かない時、たとえばお風呂から上がってなかなか服を着たがらないような時に、突然、自分でも驚くほどの怒りが湧いてきます。怒りを抑えきれないのではないかと怖くなります。子どもはちょっとふざけているだけだと分かっているのに。そういう時は、自分の中のなにかが、「子どもを許してはいけない！」と自分に命令しているかのようです。子どもを強く叱《しか》ってしまった後など、なぜあんなに腹が立ったのかすごく後悔します。自分でもあの湧き上がる怒りが不思議です」。

このような現象について、「世代間伝達」という考え方では、以下のような説明がなされます（「赤ちゃん部屋のおばけ」と同じような図式です）。

この親自身が、子どもの時に同じような状況で自己主張をして、親から過剰に（強い叱責《しっせき》や暴力で）抑え込まれたのかもしれません。親の親が、なぜそのような強い怒りを子どもに向けたのかは分かりません。夫婦間の問題や嫁姑の問題など、過酷な状況に置かれていたのかもしれません。幼い子どもであった親は、その時の恐怖の体験を心の底に押し込めていたと考えられます。長く封印されていたその恐怖や、親の親が感じていた怒りが、自分が親になった時、自分の子どもを目の前にして、呪いのようによみがえってきているのかもしれません。

この場合、親は、自分の親の感情を、あたかも自分の感情であるかのように体験しています。これは「取り入れ（＝同一化）」と呼ばれる心の仕組み（防衛機制《ぼうえいきせい》）ですが、とくにこのような場合では「攻撃者への同一化」であると考えることができます（防衛機制については21—29章で詳しく説明します）。

子どもが無邪気に自己主張をしはじめた時、親はそのことに不安を感じるのではなく（こんなことを言わせておくと、わがままな子になってしまう、などと考えるのではなく）、まず、自己主張をしはじめた子どもの成長を喜び、歓迎するという視点を忘れないようにしたいものです。

第4の別れ——「二次反抗期」

身体の別れ（「誕生」）、別の存在という気づき（「再接近期」）、自分の意志への気づき（「一次反抗期」）と来て、最後に来るのが自分の価値観への気づきです。これが第4の別れです。

「自分の人生は自分のものだ」「親の価値観と自分の価値観は違う」という意識が生まれてくるこの時期には、子どもにとって、仲間との関係がなによりも重要視されます。

そうすると、逆に、親との距離をあえて強調したり確認したりするかのような行動が目立ってきます。いわゆる二次反抗期です。たとえば、それまでは家族で出かけることになんの抵抗もなかった子どもが、一緒に出かけようと誘うと「オレはやめとく」などと言うようになります。自分の子ども時代を思い出してみても、この時期は家族で出かけている時に友だちに会ったりすると妙に気恥ずかしい気がしたものです。その理由は、親と一緒に行動しているということ自体が、親との距離がしっかりとれていないことであるかのように感じられるからだったと思われます。

ズボンをずらして下着が見えるようにして履いたり、鎖などのアクセサリーを身につけたり、髪の毛を染めたりなど。いずれも親が眉をひそめるような、あるいは先生から叱られそうな格好を、この時期の多くの子どもたちがしたがります。そのような外見をすることは、子どもにとって、自分が親（あるいは先生）とは違う価値観を持ちはじめているという自負心の現れなのでしょう。

子どもと別れることに抵抗の強い親ほど、このような子どもの行動に不寛容に振る舞います。そして、言葉遣いや服装が、親の期待するものからそうでないものに変わっていくことを過剰に怖れて干渉しようとするのです。

自分は「手のかからない子だった」と言うような親はとくに、子どもの自立表現をあの手この手で抑え込もうとする印象があります。親自身が、この時期に自分の親から強く抑え込まれたのかもしれません。子どもの自立を抑え込もうとする親の心の一部には、子離れに対する怖れがあると考えられます。しかし、親は子どもを管理することを「ちゃんとした大人にするため」などと正当化していることが多いのです。

親も動揺することがあるのは当然のこと

ここに紹介したそれぞれの別れの段階は、子どもが順調に育っていけば自然とやってきます。歩けるようになったり、歯が生えたりすることを喜ぶように、子どもは大事なステップを通過しているのだ、と意識して大切に見守ってやることが大事です。

とはいえ、他人の子どものことであれば「そんなに叱らなくても」とか「そんなに心配しなくても」

と冷静に見られるのですが、自分の子どものことになると、当事者であるため動揺してしまいがちです。私自身も同じような時を過ごしました。長男が中学生だった頃のことです。長男はサッカーだけやっているような毎日でした。勉強はしませんし、家では夜遅くまでテレビばかり見ているし、服装も言葉遣いもどんどん悪くなっていきました（というように私には見えました）。

本当にこのままで大丈夫なのか？　親として信じて見守るだけで良いのか？　と、毎日不安でした。そのような時に、私のある友人が外で偶然長男と会って立ち話をしたということを私に話してくれました。その友人は長男のことを幼い頃から知っていました。私が長男のことを心配していることを話すと、彼は本当に意外そうな顔をして「なんにも心配いらんでしょう！　すごく良い感じだったよ」と言ってくれました。他の人から見ると、そのように見えるのかと思うことができて、私は本当に安心しました。友人のこの一言で、私はこのままの接し方で良いのだとかなり気持ちが楽になりました。

子どもと一緒に親も成長していくのですから、親も心を揺さぶられることがあるのは当然のことと言えます。それでも、子どもだって親と別れるために大事な時期を頑張って過ごしているのだと、親が意識することができれば、親も子も大きな混乱をせずに、それを乗り切ることができると思います。

11　子どもと親の距離——近すぎる親、遠すぎる親

理想的な親・子・現実の三者関係

これまで子どもの問題についての相談の仕事をしながら気がついたことがあります。それは、親と子ども、そして外の世界（＝現実）という三者の関係に関することです。

図2は、理想的な親・子・現実の三者関係を表したものです。ここでは、親・子・現実の三者は、互いに独立しており、すべて実線で表されています。

ここで重要なのは、親も子どもも、外の世界＝現実と直接に相対していることです。子どもは親に対して、自分の身に起こっている出来事について話したり、困難が生じている場合はそのことを相談したりします。そして、親は子どもの話を受け止めたりアドバイスをしたりします。

このような三者関係のもとでは、子どもが直接外の世界＝現実と向き合うことで、親とは違う自分なりの価値観やライフスタイルを身につけていきます。また、親から適度な関心を示してもらったり、必要な時にはげましや支えを得られることは、子どもの自信や勇気を育みます。

このようにして、親から自信や勇気を分け与えられながら、子どもは、失敗してもまた挑戦したり、意見が違う相手に対して自分の考えを主張したりすることができるようになっていきます。

以上が、子どもと親の距離が適切にとれている場合です。

次に、子どもと親の距離が適切にとれていないような場合について、二つの特徴的なタイプ（「子どもと近すぎる親」と「子どもから遠すぎる親」）に分けて説明します。

まずお断りしておきますが、以下の二つのタイプは、いずれもそれほど特殊なものではありません。むしろごくありふれたものだということは、説明を読めばお分かりいただけると思います。

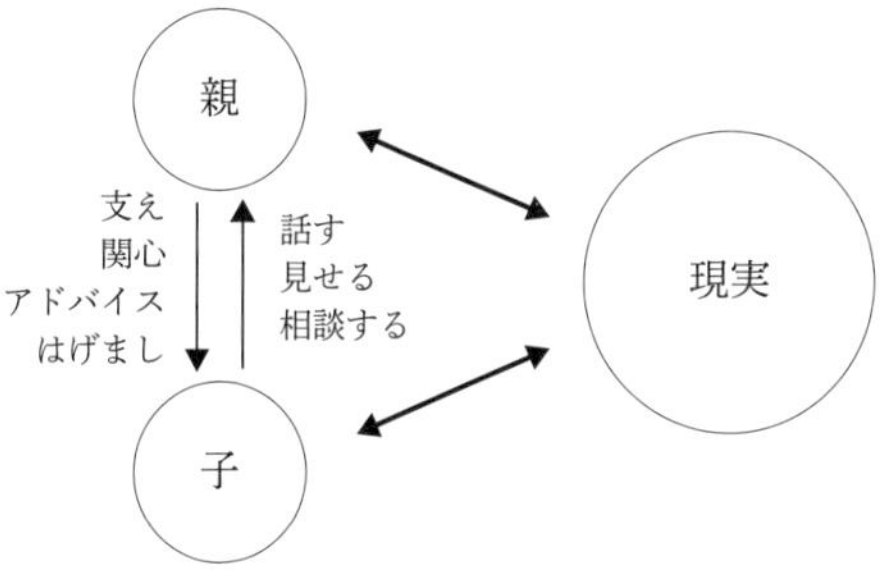

親とは違う世の中の見方が出来上がっていく

図２　理想的な親・子・現実の三者関係

子どもと親の距離はどうやって測るのか

では、子どもと親の距離はどうやって測るのか。それは、基本的には、親の子どもとの距離のとり方が具体的な生活場面に現れるような、個別的な状況で判断することになります。

たとえば、高校生の子どもが、将来犬の訓練士になりたいのでそのような専門学校に進学したい、と言い出したとします。けれども、親は動物に関心がなく、訓練士がどのような仕事であるか知りません。

このような場合に、「子どもと近すぎる親」であれば、子どもが自分の知らない分野に進路を決めようとしていることに不安を感じて動揺します。犬の訓練士とはどんな仕事なのか？　収入はどのぐらいか？　自分の近くで暮らせる仕事であるか？　等々、いろいろと調べるでしょう。
一方、「子どもから遠すぎる親」であれば、自分の関心のない分野については、子どもがいかに希望していようと無関心です。そのため、動揺することもありませんし、子どもに対して、なぜその道に進みたいか、などといった質問をすることもありません。親の方ですでに子どもの進路について方針を持っている場合であれば「訓練士だって？　なにやら変なことを言い出したな！」といった程度にしか考えません。そして、他の人には「そんなしょうもないことを言ってるんですよ」というような話し方をするでしょう。
以上が、あくまでもイメージ的なものにすぎないのですが、この本で言うところの、子どもと親の距離の「近さ」と「遠さ」です。

「近すぎる親」――子どもの問題がいつしか自分の問題になってしまっている

ここに紹介するのはある幼稚園児の母親の話です。

【例】「幼稚園のお友だちと比べてみても、息子は不器用で動作が遅く、理解するにも時間がかかります。学校がはじまっても、字を覚えることが多分苦手だと思います。それで、少しでも早めに練習させておいて劣等感を持たないようにさせたいのですが、字の練習をさせても、十分もしないうちにやる気がなくなってきて、辛そうな表情をします」。

この母親にしてみれば、子どもに辛い思いをさせないためにとっている行動なのでしょうけれども、実際には、まるでどうやったら勉強が嫌いになるかということの見本のような接し方になってしまっています。

この母親は、子どもと自分を切り離せていないのです。このように、この子は心が弱いので試練には耐えられないだろう、だからなるべく苦労をさせたくない、辛い思いをさせたくない、などと過保護に接する場合、その親は「近すぎる親」であると言えます。

次の例はある進学塾の先生に聞いた話です。

【例】 小学三年生からはじまる受験コースの申し込みに親とやってきた小学二年生の子。ある中高一貫校に進みたいと本人が言った。その学校に進みたい理由を聞かれると、「高校受験で苦労したくないから」とその子は答えた。

この子どもは、親の考えや思いをそのまま受け取らされています。このような親と子の一体感は、「子どもと近すぎる親」とその子どもの間によく見られます。

子どもが受験をするということは、子どもと一体化している親にとっては、なかなか苦しいことです。なぜなら、些細《ささい》なことで、子どもと一緒になって一喜一憂するからです。

また「近すぎる親」は、子どもの人間関係について単に「よく知っている」というのとは違う、どこか巻き込まれているような表現が目立ちます。

そういう親は主語が省かれた話し方をするので、話を聞いていると、今話しているのは親の思いなのか子どものことなのかが往々にして分からなくなります。たとえば親が「本当は○○ちゃんのことが嫌いなんです」と言った場合、嫌っているのは親なのか子どもなのかが分からなくなったりします。親にしてみれば、つねに子どもと一体化しているので、いちいち主語を言う必要を感じないのでしょう。

「遠すぎる親」——子どもは自分を賞賛する鏡か自分のアクセサリー

一方、「子どもから遠すぎる親」の場合は、子どもの立場に自分がはまりこんでしまうようなことはまずありません。このような親にとっては、①子どもは親のすばらしさを讃《たた》えてくれる鏡にすぎないか、もしくは、②子どもはアクセサリーであって、「すばらしい自分の一部」です。

①の場合、親は、自分が親から向けてもらえなかった関心を、子どもから得ようとしているかのようです。子どもは親を賞賛することをつねに求められます。ママって世界一、パパは最高、と子どもはいつも賞賛するようになります。たとえば母親が絵本作家であれば、子どもは必ず「私もママみたいな絵本作家になる」と言うでしょう。子どもは「私はママの絵本あんまり好きじゃない」とか「○○っていう人の絵本の方が好き」などと言うことは絶対に許されないと直感的に知っています。子どもは「親の親」の役割（鏡となってあなたはすばらしいと言い続ける役割）をさせられているのです。

②の場合、親にとって、子どもは自分の一部です。たとえば手や足と同じです。手や足に一つの独立した心を感じたりしないのと同じように、子どもの心も感じません。それゆえ、子どもの内面（なにを感じているのか、なにを考えているのか）などには無関心です。子どもの受験であれば、有名な学校に通っている子どもの親であるということで自分が受ける賞賛にしか興味はありません。自分の一部である子ど

もへの賞賛は自分への賞賛と同じ、という観点でしか、子どもの存在は意味を持たないのです。

いずれの場合にせよ、「遠すぎる親」は子どもの自尊心を無視しており（というか子どもにそのような心があることに気がついていない）、子どもの自立に関心を払いません。

また、このような親によく見られる特徴ですが、親が関心を持たないことを子どもが真剣にやっているとすぐに茶化します。友だちの話でも、ゲームの話でも、アイドルの話でも、親は子どもの話をじっくり聞いてあげられません。なぜなら、親にとって、そのような子ども自身の興味は、親の飾りにも、（親のすばらしさを映してくれる）鏡にもならないからです。

「子どもの話を聞いているとものすごく眠くなってくるんです」「子どもと遊びはじめると急に片付けないといけない仕事をいろいろ思い出すんです」などという話が面接で出てくるようなら、その親は「遠すぎる親」である可能性が高いと考えられます。

そのような親は、子どもの内面にまったくと言って良いほど関心が向いていません。「遠すぎる親」にとって、子どもは自分の親の代わり（自分に関心を向けてくれるべき存在）なので、子どもが関心を持っていることや、子どもが楽しく遊ぶことは、退屈で仕方がないことなのです。

それで、たとえば子どもが好きなアーティストの話を熱心にしはじめると、なぜか子どもの服のヨゴレのことが気になってきたり、子どもの言い間違いを指摘したり、話し方の癖をからかったりするなどして、話の腰を折ってしまいます。「遠すぎる親」は、自分の関心のない話を「聞いてあげること」ができないのです。

12　近すぎる親の問題――子どもの出会う現実を加工する

前章で私は、子どもと自分の距離が近すぎて、子どものことを心配しすぎる親を「近すぎる親」として説明しました。この章では、この「近すぎる親」の問題をさらに詳しく説明します。

近すぎる親・子・現実の三者関係

図3は、「近すぎる親」の場合の、親・子・現実の三者関係を表した図です。前章の図2と比べて大きく違うのは、親を示す実線に子どもが包み含まれていることと、子どもを示す線が点線で表されていることです。これは親と子の存在が未分離で、境界が曖昧であることを示しています。

多くの場合、「近すぎる親」は子どものことを過小評価しています。しばしば「うちの子はストレスに弱いので」とか「気が弱くてたよりないから……」などと言います。そして、自分の子どもには厳しい現実に立ち向かうことは難しいと感じているので、親は必死で「現実を加工」しようとします。すなわち、子どもに現実に向き合う力が十分備わっていないと心配しているがゆえに、「近すぎる親」は、子どものために、現実を親の価値観に基づいてより安全になるよう加工するのです。

加工の仕方はさまざまです。具体的には、食べ物の制限（手作りのお菓子しか食べさせない、コーラは飲んではいけない、など）、髪型や服装の制限（派手な格好を許さない、など）、移動の制限や門限（午後七時より遅くなる時は必ず親に電話で知らせる、など）、テレビやゲームの制限、友だちの制限など人間関係への干渉、受験・進学、就職・転職、結婚・離婚、出産・育児への干渉など、ありとあらゆる領域にわたります。

受験を例にとれば、「近すぎる親」は「うちの子は気が弱いので、公立では楽しくやっていけないと思います」「うちの子は自分からなんでもやるタイプではないので、ある程度親切に教えてもらえる私立の方が合っていると思います」「高校受験はたいへんだと思うので、言うことを聞く小学生のうちに勉強させて、中高一貫に入れてやった方が子どものためだと思います」などと、自分の子どもの弱さを信じているような発言が目立ちます。

この点で、後で述べる「遠すぎる親」の受験に対する考え方とは大きく異なります。「遠すぎる親」は、子どもの受験も、親としての自分のすばらしさを表現する一つの手段のように感じています。そして、子ども自身の不安や迷いには無関心です。「近すぎる親」が子どもの不安をわがことのように感じて発言し行動するのとは好対照をなしています。

事実を事細かに語る傾向と主語を省略する傾向

また、「近すぎる親」は、子どもの問題、不登校や摂食障害などで相談に来た時に、子どもに関わる事実をたいへん事細かに語る傾向があります。

たとえば、子どもの友だち関係の問題を語る場合にも、「友だちがどのよう

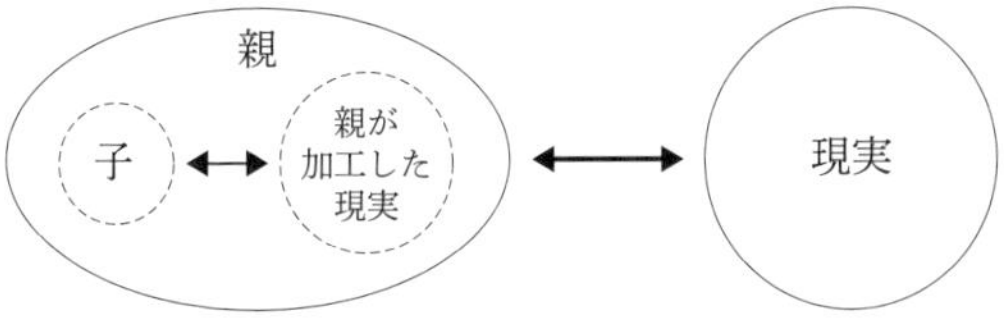

親の見方、考え方に取り込まれた世界観ができる

図3　近すぎる親・子・現実の三者関係

な状況でどういうことを言った、それに対して子どもがどう返したら、こうなった……」というような「事実関係」が事細かに語られます。なぜそんなに詳しく知っているのかと驚くほどです。

そして、先にも書きましたが、「それですごく困ったのです」とか「それがいやなので相手に文句を言ったのですが……」などと、主語が省略される傾向があり、治療者は話の途中で何度も「今のは、あなたご自身のことですか？　それともお子さんのことですか？」と確認する必要が出てきます。

このような話し方になるのは、親と子が未分離であるためです。親は子どもとあたかも一体となって外の世界と向き合っているので、自分が体験しているかのように、子どもの状況を話すのです。

子どもと一体になって苦しみ悩んでしまう

たとえば、子どもと仲の良い友だちとの間で小さな行き違いがあり、そのために子どもが少し悩んでいる、というような状況があるとします。

親子関係が理想的なものとなっていれば、親は子どもがどのように仲直りしていくか、見守ることができます。そして、子どもがどのような発言をしたか、相手はどう反応したか、などの細かな事実よりも、子どもはいったいなにをどのように辛いと感じているのか、もしくは、まだ気にしているのか、もう気にしていないのか、など、子どもの気持ちに関心を向けるものです。

このような親は、自分と同じように、子どもにだって子どもの人間関係がある、ということを理解しています。さらに、子どもが、子どもなりの方法で、自分の問題を乗り越えていくことの意味を理解しており、子どもの力を信頼して、見守ることができます。

ところが、「近すぎる親」は、子どもがどう感じているかよりも、事実がどうであるか、悪いのはどちらであるか、どうしたら良いのか、などに、過剰にとらわれてしまいます。

「このようなつもりでこう話したのに、相手の子どもは誤解してこう返してきた、そこでこう言い返したところ、今度は……」といったような話を、カウンセラーはえんえんと聞かされ、「この人はなんの相談に来られているのだろうか」と不思議な気分になってきます。

このように、「近すぎる親」は、自分自身が問題のまっただなかにあるかのように苦しみ、今すぐにも助けを必要としているかのように、事実関係を切々《せつせつ》と訴えます。そして、自分の子どもを救うために、相手の子どもや親、学校にどのように働きかけようかと悩みます。

若いカウンセラーがしがちな失敗

これは余談ですが、若くて経験の浅いカウンセラーがこのような親を担当すると、カウンセラーもこの関係に巻き込まれてしまうことがしばしばあります。

カウンセラーは、親の「親」の役割を演じさせられ、「かわいそうなクライエント」をなんとか助けてやりたい、という思いに駆られてしまうのです。

そうなると、カウンセラーは、親が自分の気持ちを見つめることを助ける（内面の世界で仕事をする）のではなく、親の訴える問題を「解決してあげる」ために、現実の世界に働きかける（面接室の外で仕事をする）ことになります。

たとえば子どものクラスの問題について、親の代わりに担任や学校側に意見や要求を伝えたり、育児に干渉してくる祖父母に対して、親の思いを代理で伝えたり、といったことをさせられたりします。けれども、カウンセリングは面接室の中で進んでいくものであるという原則から外れてしまうと、ことが上手《うま》くいくことはまずありません。

この、子どもと親、親とカウンセラーに起こっている二重の構図は、たいへん興味深いものです。子どもを見守れない親は、「子どものために」と動いてしまいます。そして、その親の相談を受けているカウンセラーも、親の話を聴くのではなく、「親のために」と動いてしまうのです。

しかし、いずれにせよ、カウンセラーにとって大切なことは、あわてて動いてしまうことではなく、まずは相手の思いを理解するために、相手の話をきちんと聴くことなのです。

「現実を加工している」という自覚を持つ

もちろん、親が子どもを守るのは当然のことです。たとえば、車の多い現代社会において、子どもが交通事故に遭《あ》わないように気をつけてやるのは親の重要な役目です。これも一つの「現実の加工」です。子どもは、親が安全なものに加工してくれた世界の中で安心して生きることができます。つまり、現実を加工することはすべてが悪いことなのではなく、むしろ絶対に必要である場合も多々あるでしょう。したがって、親が現実を加工することの問題は、程度の問題ということになります。

けれども、大切なことは、「自分は今、子どものために現実を加工しているのだ」という自覚を、親がしっかりと持っておくことだと思います。たしかに、子どもが出会うかもしれない危険や困難をあらかじめ取り除いて現実を安全なものに加工することは、子どもを守ることになります。しかし、それと同時に、子どもが危険や困難と出会い、それについての対処方法を自分で学ぶ機会を奪うことにもなりうるからです。

私は、毎朝、五歳の四男を近くの保育園まで送っています。途中で、道路を横切らねばならないところがあります。手をつないで渡りたくなりますが、彼が手をつなごうとしない時は、我慢して彼の行動を見ています。渡る時には必ず手をつないで！　と言いたくなりますが、そうしなくても、彼はよく車の行き来を見て自分で渡ります。もしも彼が危ないタイミングで飛び出したりしたらすぐに抱きとめることができる位置で、私は「現実を加工する」ということと「子どもが生《なま》の世界に自分だけで触れている」ということの両方の意義を緊張しながら意識しています。

目の前の危険を避けるために、子どもの行動を親が制限・管理してしまえば、少なくとも目先においては、ことは簡単に済みます。それに対して、親の目の届く状況で、子どもを生《なま》の世界に向き合わせるということは、実は、とても手のかかることです。

現実を加工しないのと放っておくのは違うこと

このように、あえて現実を加工しないことと、なにもせず放っておくことはまったく違うことです。この違いはたいへん重要ですので、しっかり理解していただきたいと思います。

そして、親自身が、自分は子どもが向き合うべき現実を加工しているのかもしれない、ということを自覚しているかどうかは、親子双方に大きな意味をもたらすと私は考えています。

繰り返しになりますが、「近すぎる親」は、「誰と遊ぶのか」「どこに遊びに行くのか」「何時までに帰るのか」など、さまざまな制限を子どもに課します。そうしないと、自分の子どもは頼りないので、失敗したりトラブルに巻き込まれたりするだろう、という不安を持っているからです。このように、子どもと適切な距離がとれず、子どもを過小評価して心配してしまうのです。

けれども、本来、子どもはいろいろな失敗をして、そこから立ち直ることで成長していきます。仲間と多少の行き違いがあっても、やがて自分や相手の努力によって仲直りできることや、失敗しても謝ったり許されたりして状況は回復できる、というような体験を積み重ねて、現実との接し方を身につけていきます。そして、これらの体験は、社会で生きていく上での自信や勇気の源になるものです。

子どもの時期に、いわば「安全な」失敗を繰り返して自分なりの方法で克服していくことは、成功することと以上に重要な体験であると言えます。ところが、「近すぎる親」は、子どもからこのような重要な体験を奪ってしまうのです。これは、かえって「危険な」ことではないでしょうか。

安全な失敗を体験するべき時期がある

幼児は本当によく転びます。なにかに気をとられると、足下《あしもと》もよく見ずに駆け出したりするからですが、何度も転ぶうちに、やがて転ばないように気をつけることができるようになります。

幸い幼児は体重が軽いし重心も低いので、身長も伸びて体重も増えた大人とは違って、転んでもダメージはさほどではありません。親や周囲の大人が見守ってくれていますし、若い皮膚は傷もすぐに良くなります。幼い時は転ぶことを学ぶ時でもあると言えます。

人間関係についても、同じような図式があてはまります。守られた状況のもとで、そして自分も相手も子ども特有の楽観的で前向きな心を持っている間に、何度も失敗するという体験はとても重要です。なにを言ったら相手は怒るのか、自分が不愉快な時はどうしたら良いのか、など、試行錯誤の連続です。地図ができあがっていくように、自分の感情とその表現の仕方、相手とのやりとりに関する見取り図のようなものが、心の中にできあがっていくのです。

そして、最も重要なことは、いろいろ失敗しても、自分でなんとかできることがあるし、相手や周りの人が支えてくれることもある、結局は大丈夫なのだ、なんとかなるのだ、ということを何度も味わうことだと思います。これは人間にとって必須の体験と言えるでしょう。そのためにも、親は子どもが安全に失敗する機会を奪わないように、重々気をつける必要があるのです。

13　遠すぎる親の問題——子どもの気持ちに無関心

前章では、「近すぎる親」の問題を詳しく説明しました。これとある意味で対照的なのが、子どもから「遠すぎる親」です。この章では、「遠すぎる親」の問題をさらに詳しく説明します。

遠すぎる親・子・現実の三者関係

図4と図5は、「遠すぎる親」の場合の、親・子・現実の三者関係を表した図です。「遠すぎる親」について、二つの典型的な場合を分けて示してみましたが、いずれの図においても、親から見て子どもは、一つの独立した存在としての地位を与えられていません。

子どもは自分を賞賛する鏡

図4においては、親にとって、子どもは、外の世界、その他大勢の一部にすぎません。すなわち、親にとって、子どもは他のすべての人と同じく自分（親自身）のすばらしさを賞賛するために存在している一人でしかありません。あたかも、白雪姫の母親（継母《ままはは》）が、鏡に「鏡よ鏡よ。世界で一番美しいのはだあれ？」と呼びかけて、「それはあなたです」と答えさせるかのようです。

こういった親子関係においては、子どもは、世間の人々と同じく、親自身のすばらしさを鏡のように映し出す存在にすぎません。そして、親は、鏡に心がないのと同じように、子どもの心などないかのように思っており、子どもの気持ちなどにはまったく無関心です。

子どもには、親を喜ばせるための役割だけが与えられています。もしくは、親がつねになにか不満を持っているような場合には、親の不満に共感したりそれを慰めたりする役割ばかりが与えられます。

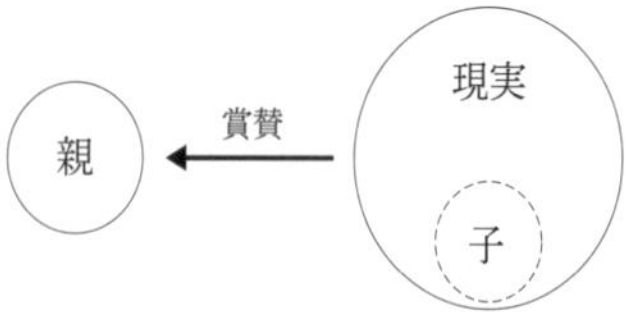

図4　遠すぎる親・子・現実の三者関係Ⅰ

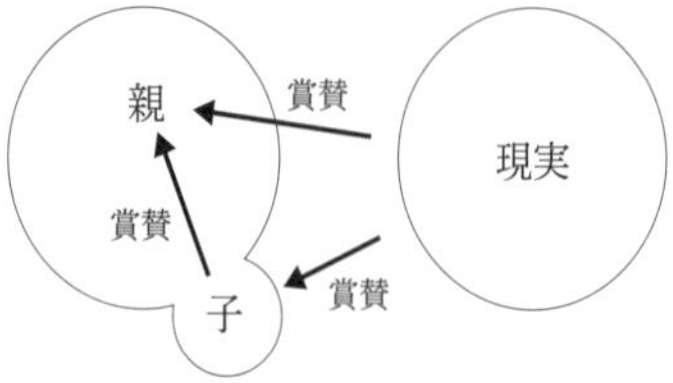

図5　遠すぎる親・子・現実の三者関係Ⅱ

子どもは自分の一部か持ち物の一つ

一方、図5の場合には、親にとって、子どもは親の一部、身体の一部分、もしくは、アクセサリーのような、持ち物の一つであるかのようです。あくまでも、子どもは、拡張した親の一部を構成するものにすぎず、独立した一個の人間ではありません。

それゆえ、現実世界から「子どもに」向けられた賞賛も、親は「自分に」向けられた賞賛として感じます。また、子どもの受ける批判も、親は自分自身への批判として体験します。

たとえば、子どもが運動会のかけっこで一番になった時、あるいは子どもの描いた絵がなにかに入選したような時、親は、子どもの喜びに共感して喜ぶのではなく、自分のすばらしさが世間に証明されたように誇らしく感じます。

逆に、子どもが受験に失敗したような時、子どもの悲しみを思いやったり共感したりするよりも、親としての自分のしんどさ、それまでの苦労、世間や周囲に顔向けできないこと、などといった自分の辛さばかりが前面に立ち主張されるでしょう。

一般に「遠すぎる親」は、たとえば子どもの卒業式でも、「子どもがどんな気持ちであるか」ということよりも「自分（親）がどんな格好をして行くか」「人は自分をどう見るか」といったことにしか関心がありません。授業参観で子どもがなにかの発表をして間違えた時も、家に帰って子どもを慰めるのではなく、「お母さん、恥ずかしかったわ！」と怒ります。このように「遠すぎる親」は、失敗をした子どもの気持ちなどにはまったく気が回りません。それよりも恥をかいた自分の心の方を大事にするのです。

「遠すぎる親」はなかなか相談に来ない

ところで、子どもの不安を自分のことのように思い悩む「近すぎる親」がしばしば私たちのところに相談に来られるのに比べて、「遠すぎる親」は、子どもが苦しんでいても親自身は平気なことが多いので、よほどの問題が起きなければ、自分から相談に来ることがない、というのも一つの特徴です。

そして、相談に来られても、子どもの問題や子どもの辛さに共感して悩むのではなく、家の雨漏りや車の故障といった「修理しないといけない厄介《やっかい》ごと」程度の感覚しか持てていないような、なんとも軽い感じが、しばしば面接の時にも漂います。

「遠すぎる親」の子どもに見られる傾向

このような状況のもとで幼い頃から育つことには、実はかなり深刻な問題があります。

たとえば、「遠すぎる親」の子どもは、自分の感情よりも親（相手）の気分や機嫌に敏感になりがちです。自分が疲れているか疲れていないか、退屈しているか退屈していないか、など、その時の自分の気持ちよりも、親がどうであるか（相手がどうであるか）ということばかりに気持ちが集中します。そして、自分がしたいことよりも、相手がして欲しいと思っていることにばかり意識が向いてしまいます。

そのように育った人は、相手に合わせすぎるために、人と会った後に、どっと疲れが出たりします。また、自分の気持ちを主張することや、自分が楽になる選択をすることは悪いこと、わがままなこと、というような罪悪感を持ちやすい傾向があります。

自分の子どもたちが何者なのか見届けたい

ナンシー・マックウィリアムズは、その著書『パーソナリティ障害の診断と治療』（創元社、二〇〇五年）の中で、親の思い通りに育つことしか許されない子どもの危《あや》うさについて、次のように述べています。

あなたをとても高く評価しているけれど、それはあなたがある特定の役割を果たしているからにすぎませんよ、といった混乱を招くようなメッセージを送られたら、子どもはもしも自分の本当の気持ち、特に敵意や利己的な気持ちに気づかれてしまったら、拒絶されたり辱められたりするに違いないと考えるだろう。（同書、二〇六頁）

もちろん、親が子どもになんらかの期待をかけるのは自然なことですし、子どもの側の、親の期待に応《こた》えたいという欲求や、それを達成した時の満足感には、なにかしらの良い面があることも、彼女は認めています。

けれども、その上で、彼女は、重要なことは親が自らの目的に役立つか否かにかかわらず子どもに同じ注意を向けられるかどうかである、と述べています。

以下は右の引用に続く記述ですが、この本の中で、私が最も心を打たれる箇所です。

私の友人の一人に八五歳の女性がいるが、彼女の発言には子孫たちに対する非常に非自己愛的な態度がはっきりとあらわれている。彼女は世界大恐慌のさなかに一二人の子どもたちを育て上げたが、幸い子どもたちは貧窮ぎりぎりの貧しさやいくつかの痛ましい喪失にもかかわらず、全員元気に成長したのであった。『妊娠してしまったときには毎回泣いたものよ。いったいどこからお金が手に入るというのかしら、どうやったらこの子を養いながらほかのことも全部上手《うま》くやっていけるのかしらと考えてね。けれどもいつも妊娠四ヶ月目頃には命を感じはじめてわくわくしてきて、こう考えたわ。「お前が生まれて来るのが待ちきれないわ、何者なのか早く見届けたいんだもの！」ってね』

私がこれを引用したのは、彼女の気持ちを、これから親になろうとしていて子どもが何者になるか「知っている」ような人たちの考え方と対比したかったからだ。そういう人たちは子どもが親が果たせなかった野望をすべて実現し、家族に名誉をもたらしてくれる人になるものと思いこんでいる。

（同書、二〇七頁）

この記述に出会ってから、私も、「自分の子どもたちが何者なのか見届けたい」と思うようになりました。何者なのかを見届けるためには、子どもが持って生まれてきたものが上手く現れてくることを、見守る姿勢が大切なはずです。

子ども本人が「自分は幸せである」と感じられること

これと同じような主張として、黒川昭登《くろかわあきと》先生は「しつけは無用である」とまで述べておられます（黒川昭登『うつと神経症の心理治療――「自分」とインナーペアレント』朱鷺書房、二〇〇二年）。

私もまた、自分の育児や診察・面接の経験から言っても、まったくその通りだと思います。黒川先生の主張するように、親が子どもを無条件に愛すれば、子どもは親や周りの人のことを考えられるようになるのです。けれども、たいへん残念なことに、このように大切な育児のポイントが、ほとんど知られていないのです。

一方で、「絶対音感が身につく」「計算が速くなる」「LとRが聞き分けられる」といったような、まことに浅薄なことばかりが、幼い子を持つ親の関心を惹《ひ》いているという現実があります。

育児の最終的な目標は、子どもを有名中学や一流大学に合格させることや、医者や弁護士にしたり、官公庁や大企業に就職させることではないはずです。あくまでも、子どもが幸せになるということが、子育ての目的であるべきです。

子どもないしは親が他人に羨ましがられるようになることではなく、子ども本人が「自分は幸せである」と感じられることがなにより大切です。この違いは非常に大きいと思うのですが、そのことに無頓《むとん》着《ちゃく》な人があまりに多いと私は日々感じています。

14　現実を受け容れるということ

受容のプロセス

一般に、辛い現実に直面した時、多くの人が、それを受け容れるに至るまでのプロセスにおいて、同じような反応のパターンを示すことが知られています。それは「受容のプロセス」などと呼ばれます。

心の状態は、否認―怒り（他罰、自罰）―受容（悲しみ）、という順に、移り変わっていきます（他罰というのは他人を責めること、自罰というのは自分を責めることです）。

典型的なパターンは、家族との死別のような極度に強いストレス体験において顕著に現れます。

まず、「否認」というのは、現実を拒否し受け容れないことで自己を守ろうとする心の働きです。たとえば、家族の死を突然知らされた場合、「えっ！　うそ！」と思わず口にするのも、現実を否認する態度の一つの現れであると言えます。「そんなはずはない。なにかの間違いだろう」と、心は信じ込もうとします。

次に、事実を確認することを経て、それが本当に起こった出来事なのだということを信じざるをえなくなってきます。すると、「怒り」が湧いてきます。たとえば、病気の治療をしていたのであれば、医療過誤《いりょうかご》があったのではないか、というように、怒りを向けるべき相手を探し出して、その相手を責めます（他罰）。これもまた、否認と同じく、無意識の心の働きとされています。誰かを責めることによって、その役割に心を占められている限り、大事な人がいなくなってしまった、という辛い現実に向き合わずに済みます。また、他人を責めることから、自分を責める状態に移行する場合もあります（自罰）。あの人が苦しんでいる時に、自分はなにも知らず旅行に行っていた、などと、どうしようもないことを悔やんだりします。これも、悲しみを受け容れるよりは、自分を責めている方がまだ楽なので、心はそのような態度を選ぼうとするのです。

そして、一定の時間が経過して、「これで良かったのかもしれない」などと、合理的に納得しようとするような「受容」の段階に至ります。まずは、頭で（理屈で）受け容れがはじまっている段階であると言えるでしょう。さらに、周りの人に支えられたり慰められたりしながら、身体でも（心でも）現実を受け容れられる段階がやってくるとされます。この段階は、起こってしまった現実に向き合って、本当の別れの悲しみを体験する時間と考えられています。

まず認めない、やがて怒る

現実を受け容れることの困難は、死別の悲しみに限りません。育児においても、さまざまな形で現れます。これを知っておくことは、育児に取り組む際に、私たちの心を軽くしてくれるはずです。

【例】 中学三年生男子の母親Aさん。五月に塾の個人面談があり、今の成績では公立高校の受験は、かなりレベルを下げる必要があると言われた。もともと通知表の副教科の成績が良くないことは知っていたので、ある程度覚悟はしていたが、あらためて知らされてショックを受けた。Aさんは息子に腹を立てた。その夜、テレビを見ていた息子に、「なぜもっと一所懸命勉強しないの！　つまらない高校だったら行かなくても良いよ！」とかなり激しく怒りを表現した。

Aさんは、息子さんの成績が良くないことも知っていたので、三年生になり受験が近づいてくると困ったことになる、ということには気づいていたはずです。しかし、それを考えることはもちろん楽しいことではないので避けていたのでしょう。けれども、当然のことですが、やがて事実を見つめないといけない時がやってきます。

先に死別の悲しみの受容を例にして説明したような心の変化が、Aさんの身の上にも起こっています。現実を見ないようにしていた「否認」の状態から、現実と向き合わされて「怒り」を体験しています。

ちなみに、ここでの「怒り」は、自分に不快な思い、不安な思いを起こさせた息子に「依存した（甘えた）」心の動きと言えます。なぜ私が辛くないようにしてくれないの？　という甘えです。

この段階で、怒りや不機嫌を表現することによって子どもを思い通りにしようとすることは、良い方法ではありません。その理由は、そのような方法で子どもが勉強するようになったとしても、子どもの自発性を育てることに逆行するからです。

「怒り」から「困った」へ

以上、現実を見ないようにしていた「否認」の段階から、現実を突きつけられて子どもに「怒り」をぶつけてしまう段階まで説明しました。

さて、子どもに「怒り」をぶつけるのは良くない（役に立たない）ということが理解できたら、今度は「困った」と感じる段階に進めるはずです。

受験生なのに勉強をしっかりする気が持てていない、実際に成績も良くない、となれば、親としては困った事態です。そこで、怒りの収まったAさんにたずねてみました。どうして困るのでしょうか。

Aさんの答えは次のようなものでした。「成績が悪いと良い高校には行けないだろう。レベルが低い高校では勉強が好きな友だちもできないだろうし、ますます勉強から気持ちが離れるだろう。大学も良いところには入れないだろうし、そうなると就職も、ただでさえ就職難の時代なのに、かなり難しくなってしまうだろう」。

困るのは子どもであるべき

ここでAさんは困る状況を説明していますが、そのような状況になって本当に困るのは、Aさんではなく息子さんなのではないでしょうか。

先に説明した親と子と現実の三者関係の図を思い出していただければ、このAさんが息子さんと一体化してしまって、息子さんの不安を横取りしてしまっていることがお分かりいただけると思います。

「そんな成績では良い高校に行けないし、そうしたら大学もダメだし、仕事も見つからないよ！」という言葉は、昨今の日本社会の状況ではある程度正しい見通しと言えるかもしれませんが、ここでお伝えしたいのは、そういうことではありません。

私がお伝えしたいのは、いくら正しい見通しであろうと、子どもがそれを自分から受け容れるのでなければなんの役にも立ちませんよ、ということです。子どもの気持ちを無視して、親に見えている「現実」(＝現実を加工したもの)を押しつけても、子どもが自分から行動することはないでしょう。

このような現実加工をしているかぎり、子どもは、自分自身で現実を捉えることや、ものごとに自発的に対応していくということを学ぶ機会を奪われてしまいます。むしろ、子どもは、「自分の将来は厳しい、困ったな」とはならず、「お母さんの機嫌が悪い、困ったな」と感じるところにとどまってしまうでしょう。

親が代わりに困ってしまうと、親子の二人で荷物を担《かつ》ぐようなもので、親が担いだ分だけ子どもにとって荷物は軽いものになります。そして、自分のために自分からなんとかしようとする気持ちは、その分だけ減ってしまうのです。そして、その結果、親が子どもの生きるエネルギーを奪ってしまうことになるのです。

そうではなく、困るのは子どもであるべきです。そして、そういったことも含めて、親は現実を受け容れるべきなのです。

15　叱りすぎることの危険性

集中するのが得意な子と苦手な子

いまどきの子どもは、幼い時からいろいろと習い事をさせられています。いわゆる「お受験」のためではなくても、時間の使い方として、音楽やスポーツ、絵画や書道など、いろいろなものがあります。

子どもが習い事をしている時間が親の息抜きになれば良いのですが、習い事を上達させることに親の方がとり憑《つ》かれてしまい、子どもを追い込んでしまうようなケースにもしばしば出会います。

幼い時というのは集中力の個人差も大きいので、四歳でも一つのことにじっくり取り組める子どももいれば、六歳でも少しの間しか集中が続かない子どももいます。

習い事のようなものに集中するのが苦手な子どもが劣っているということはなく、好奇心が旺盛であったり活動性が高かったり、「人からやらされるのが嫌い（自立心が強い）」などといった長所の現れであることも多々あります。元気な男の子などはとくに、文字を覚えたり計算をしたりといったような単純作業が苦手なことも多いようです。ただし、年齢が上がるにつれて、そういう子どもであっても、落ち着きも出てくるし、集中できる時間も延びていきます。早い時点で勉強が嫌いになるような体験さえなければ、必ずちゃんとできるようになるものです。

けれども、子どもが集中することが苦手な場合に、親は、他の子どもと比べてなぜ自分の子は集中力が続かないのかと不満を持つことも多く、そういった場合に、子どもの方は親を喜ばせられない自分を好きになることができず、自信をなくしたり罪悪感を持ったりすることもあります。

叱ることへの依存

「自分を好きだ」という気持ちや「自分はやればできる」という気持ちは、子どもが勉強やスポーツをしていく上で大切なだけでなく、長い人生においてその人を支え続けるものですが、幼い時に自信をなくすようなことを言われ続けたり、興味の持てないことを無理矢理やらされることによって、その大切な「自分を愛する気持ち」や「自分を信じる気持ち」が育たないことがあります。

【例】 七歳の男の子の母親。「子どもが朝起きた時から眠るまでほとんど叱《しか》りっぱなし。いけないと思いながらも叩いてしまうこともある。自分自身が子どもの頃不器用でなんでもできるようになるのが他の子よりも遅かった。いつもそのことで親から叱られていた。自分のように苦労させないために子どもには早めに勉強や生活をしっかりさせようと教育をはじめた。夫から見ると私は軍隊のように子どもを訓練しているように見えるらしい。たしかにふと気がつくと小さな動作や姿勢を細かく注意している。時になにを言われているのか分からない息子の表情に激しい怒りが湧いてしまい叩いてしまうことがある。

この例のような話は、「子どもは家ではのびのびと過ごせるのが一番」とする考え方からすれば、虐待に見えるかもしれません。しかし、小学校受験や中学校受験に「はまりこんでいる」親の中には、この例のような悩みを抱えながら育児をしている親がとても多いのです。

ところで、この例の親は「自分のやっていることは本当に子どものためになるのだろうか」というような不安や迷いを感じています。だからこそ相談に来ているのですが、一方で、それどころか、自分が子どもを叱りすぎていることについて不安や迷いを感じてすらいないような親もいます。

それはもう、子どもを叱り監視することに依存《いぞん》している状態とすら言えます。ここで言う依存とは、薬物依存やアルコール依存と同じ意味での依存です。したがって、あなたのやっていることは「役に立たない」、それどころか「非常に有害である」などと言われたところで、依存の状態にある人はそれが理解できなくなっているのです。

叱ることに依存している親への働きかけの難しさ

幼い子どもに勉強などで苦痛を強いると、子どもはさまざまな身体症状でSOSを発します。身体を小刻みに動かしたり何度もまばたきをするなどのチックや、爪を噛んだり、極度に虫を怖がる恐怖症、さらにひどくなると学校でお漏らしをしたり呼吸困難を起こしたりするなど、よりはっきりとした症状を呈しはじめます。

しかし、子どもの症状について相談しに来た親に「家庭でのストレスが原因と考えられるので子どもにやさしく接するように」とアドバイスしても、それがすぐに受け容れられることはまずありません。

じっくりと話を聞いた上で「子どもさんは勉強をさせられること、家で叱られることが大きなストレスになっているようです」といったようなことを告げると、ほとんどの親は苦笑いをするか、あっさりと受け流します。おそらくそういうことを言われるだろうと、予測していたようなことをおっしゃる方もよくおられます。自分でも問題に気がついてはいるのです。でも、それでも平気なのです。

なかには、「この医者は受験のたいへんさが分かっていないので呑気《のんき》なことを言っている。子どもと私の大きな夢は、みんなには理解してもらえなくても、自分たち二人だけになっても頑張り切るんだ」といったような、強迫的な信念のようなものを感じさせる方もおられます。

私は先ほど、親が子どもを「叱ること」や「監視すること」に依存しているようなケースがあると書きましたが、それらが有害なのでやめるべきですとアドバイスした時に、苦笑いしたり、あっさりと受け流す反応は、ヘビースモーカー（ニコチン依存症者）に禁煙の必要性を説明した時のそれと驚くほどよく似ています。

感情のスイッチを切る——解離という防衛機制

では、このような親のもとで育つと、子どもにはどんなことが起こるのでしょうか。

【例】　リストカットで相談に来た女子高校生。小学校低学年の頃、毎朝六時に起こされて母親に五十問の漢字テストをさせられた。満点だと母親はすごく嬉《うれ》しそうな顔をした。一つでも間違えると間違えた文字だけでなく五十問すべての漢字を何度も書き直すのがルールだった。わずかの点の打ち間違えやハネがなかったというような細かいミスでも許されず、辛そうな顔をした時に頬を張られたことが何度もあった。

集中力もまだ十分育っていない子どもに漢字を何十回も書かせる。これは、どうしたら子どもを勉強嫌いにすることができるかのお手本のようなものです。

誰もが経験されたことがあるのではないかと思いますが、気が乗らない単調な作業を延々と続けていると、意識が遠くなっていくような、現実感が薄れていくような気分になることがあります。これは離人感《りじんかん》と呼ばれており、「解離《かいり》」という防衛機制《ぼうえいきせい》の一種です。

虐待を受けた子どもは、大人になってからも解離の症状を持つことが多いとされますが、解離を生じさせるのは、暴力や暴言による虐待だけではありません。長時間不快な作業を強制されるような生活を続けていると、子どもは解離という防衛機制を習得してしまいます。

感情のスイッチを切る方法を学んでしまったり、今動作をしているのは自分ではないと感じることで、苦痛をやり過ごすことができるようになるのです。

そして、その因果関係を説明するのはたいへん難しいことなのですが、解離の症状が進むと、この女子高校生のように、大きくなってからリストカットをするようになる場合もあります。

やさしく見守ることのメリット

片付けをきちんとしなさいとか、勉強をしなさい、などの注意をされなければ、子どもが家で過ごす時間はぐっと楽になります。そして、彼らは必ず自分のしたいことを探し出します。

ふだん学校や塾など外の世界で指示を受け続けている子どもなら、とりあえず家ではのんびりと「なにもしない」時間を「積極的に」選ぶかもしれません。

そして、これはこの本の主題でもありますが、注意をしない、叱らないと決めてしまえば、親にとっても、子どもと一緒に家で過ごす時間が、苦痛から幸福なものへ百八十度転換します。

そうなれば、イライラすることももうありません。家で過ごす時間が楽しいものになることは、子どもだけでなく、実は親自身を救うのです。おまけに、子どもは元気を回復して主体性が育ちます。

これは私の仮説ですが、「片付けなさい」とうるさく言われた子どもよりも、やさしく見守られた子どもの方が、大人になって片付けることを好きになるでしょう。「勉強しなさい」と言われ続けた子どもよりも、やさしく見守られた子どもの方が、勉強することを好きになるでしょう。

なお、勉強しなさいと言われずに育ったわが家の子どもに関しては、上の三人は、少なくとも勉強が嫌いでないようです。必要に応じてですが、自分から勉強しています（一番下はまだ学校に行っておりません）。

ちなみに、片付けなさいと言われずに育った彼らの中で、片付けがきちんとできるのは、二番目の子ただ一人だけです（なお、父親である私もいまだに片付けは苦手です）。

16　母親は子どもに去られるためにそこにいなければならない

急がさないかぎり子どもは自分で親から離れていく

この章のタイトル「母親は子どもに去られるためにそこにいなければならない」は、ちょっとややこしいですが、ナンシー・マックウィリアムズの著書『パーソナリティ障害の診断と治療』の中で紹介されている、心理学者エルナ・フルマンの論文のタイトルです。

> フルマンは（中略）急がさないかぎり子どもは自分から乳離れすることを強調している。独立を求める動きは、依存したい願望と同等に根本的かつ強力なものであり、退行と「補給」の必要がある時には両親はいつでも応じてくれるという信頼を持っている子どもなら、自然に分離しようとするものだというのである。フルマンは子どもは自然に前進しようとする動きを持つという見地から分離過程を新しく構成してみせた。しかしこれは、放っておけば子どもは退行的な満足の方を好むだろうから両親は欲求不満を少しずつ与えねばならないという西洋の固定観念に挑戦するものであった。（同書、二七六頁）

10章でも説明しましたが、子どもが親から離れていこうとする時にこそ、親との一体感を確認しようとするような行動が増えます。それは、別れの淋しさを無意識に感じているからです。

引用文にある「退行と「補給」の必要がある時には両親はいつでも応じてくれるという信頼」という言葉の意味するところのイメージとしては、たとえば次のような場面を想像してみてください。

三歳ぐらいの子どもが一本橋を渡ろうとしており、母親がそのたもとで後ろから見守っています。子どもは、渡りたいけれど、怖い。でも、「危ないからやめた方が良いよ」などと言われると、ますます行きたくなります。しかし、やはり怖いので、何度も振り返って母親の方を見ます。この時、母親は子どもに、ずっとあなたを見守っているよというメッセージを表情や仕草で送ってやります。すると、子どもはその親からの支えを頼りに、親から離れて橋を渡っていくのです。

無理に外に出そうとするとかえってしがみつく

【例】 不登校の女子高校生の母親。娘は高二のはじめから不登校になり退学を選択した。今は通信制の高校に在籍して自宅で勉強している。「将来どうしようと思っているの?」とたずねると「まだ分からない」と娘は答えた。「親である自分たちは先に死んでいなくなってしまうのだから、自分で生活していけるようにしないといけないよ」と言うと、娘は暗い表情になり「私はずっとこの家にいる。お父さんやお母さんが死んだら私もその時に死ぬ」と言った。

この例では、両親は自分たちが導かないかぎり娘は家を出ることができないだろうと思っています。しかし、実際にはこの子は資格を取って家で働く道を（親には話していませんでしたが）自分でいろいろと探っていたのでした。

子どもが家を出て行けないだろうと思いつつ、（子どもを信じないで）無理に外に出そうとすると、子どもはかえって家にしがみつくでしょう。親にさえ信頼してもらえない自分に自信が持てないのです。親は勇気を持って子どもを信じることが必要です。子どもが家を出て行くということを信じるのではありません。出て行くにせよ行かないにせよ、子どもは自分を幸せにする選択を自分でするだろうと信じるのです。

極端な話をすれば、家から出ないという選択が正しいことすらあるはずです。たとえば、子どもが家を出て働いて、やがてストレスから自殺することになってしまうのだったら、私は親として子どもにずっとこの家に引きこもってでも生きながらえて欲しいと願います。これはもちろん極論ですが、親に信じてもらっているという思いは、子どもの自信となり彼らに勇気をもたらします。

去られるものとしての親の悲しみ

マックウィリアムズは、右の引用に続く部分では、去られるものとしての親の悲しみと子どもの気持ちについても触れています。

> 離乳にあたって本能的な欲求満足の喪失を骨身に染みて感じるのは、通常赤ん坊でなく母親の方である。そして、離乳と類比されるほかの分離の機会にあたっても同様のことがいえる。母親は自分の子の自律性が育っていくことに喜びや誇りを感じる一方で、ある悲嘆の痛みにも苦しめられる。しかし健常な子どもたちは親の感じるこうした痛みを歓迎するもので、はじめての登校日、はじめての学年末舞踏会、あるいは卒業にあたって、両親に涙を流し

てもらうのを期待している。

（同書、二七七頁）

そして子どもから離れることのできない親の問題については次のように記述しています。

分離個体化の過程から抑うつ的精神力動が生じるのは、子どもの成長が母親にとってあまりに辛いために、母親が子どもにしがみついて子どもに罪悪感を持たせたり（「あなたがいないと本当に一人ぼっちよ」）、対抗恐怖的に子どもを押しやってしまう（「どうして一人で遊べないのよ」）時だけだという。前者の状況におかれた子どもたちは、積極性を持ち独立したいという普通の願望をも有害なものだと思うようになる。また後者の場合、子どもは依存を求める自然な動きを嫌悪する方に傾く。どちらの場合にも自己の重要な一部分が悪いものとして経験される。

（同書、二七七頁）

ここは、マックウィリアムズが抑《よく》うつの性格ができあがってくる原因としての親子関係の問題について解説している部分です。「分離個体化の過程から抑うつ的精神力動が生じる」という記述に続く部分では、子どもが親から離れて独立していこうとする時の親の不適切な関わり方によって、将来的に子どもに抑うつの問題が引き起こされうることが述べられています。なお「抑うつ的精神力動が生じる」というのは「抑うつ的な性格のもとができる」のような意味です。ここで言う抑うつ的な性格のもととは、自分のしたいことや好きなことをしようとすると「自分はわがままだ」とか「自分さえ良ければいいのか」といった気持ちになる傾向や、そのようにすることが当然の状況でも、相手に頼ることや助けを求めることに強い抵抗がある傾向のことです。

子どもにしがみつくタイプの親が子どもの性格に引き起こす問題については、すでに「近すぎる親」の問題として説明しましたが、ここで指摘されていることもそれと同じことです。

子どもから離れることのできない親が、自分から去って自立していこうとする子どもに、「こんなに悲しんでいる私を捨てるの？」などとしがみついて罪悪感を持たせると、子どもは自分のしたいことをすることを悪いことのように感じるようになってしまいます。

そして、大人になってからも、自分の望むことをしようとする時に「自分のやろうとしていることはわがままだ」とか「自分だけ良かったらそれで良いのか、自分はそんな独りよがりな人間なのか」といったように、否定的な感情が起きるようになるのです。

また引用中には、親が子どもに去られる悲しみに直面した時に「対抗恐怖的に子どもを押しやる」との記述がありますが、「対抗恐怖的」とは、本当は怖いのに全然怖くないふりをするような態度のことです。

例に挙げられている「どうして一人で遊べないのよ」という言葉の持つ意味は、子どもが自立して自分から離れていくことが淋しいために、本心では子どもの自立を怖れている親が、その本心を隠して「私はお前の相手をするのはもううんざりだ」といったような拒絶のメッセージを送る場合があるということです（分かりやすく言うと「痩《や》せ我慢」をしているということです。よくテレビドラマなどで恋人に去られて悲しい人が、「ああいやな奴がいなくなってせいせいした！」というようなセリフを吐くことがありますが、それなどはこの対抗恐怖の典型的な例です）。

このように、言葉が本心と食い違っているようなメッセージを送られると、子どもは混乱してしまいます。親から離れていく時は淋しさを一番感じる時であり、だからこそ、振り返って親の愛情を確認したくなるのは当たり前なのです。そのような時、いつでもここにいるよ、いつでも戻ってきたら良いよ、お前のことを見守っているよ、などと親から送られる愛情こそが、子どもを自立させていく力のもとになるのです。そうであるにもかかわらず、そういう時に、「もう一人でできるでしょ！」と冷たく突き放す言い方は、実は子どもの自立を邪魔することによって（そのように冷たく突き放されると子どもは不安になり、かえって自立できなくなってしまいます）、いつまでも自分に依存させたいという親の無意識の願望を反映しているのかもしれません。

惜しまず与えてあとは任せる

甘やかしていると一人で生きていけなくなるのではないか、などと心配するあまりやさしく接することを控えたり、子どもを無理に追い出そうとしたりする必要はないのです。子どもにはそれぞれのペースがありタイミングがあります。

むしろ、親が無用の心配をしていろいろ干渉することで、子どもの本来の力が育つことが妨げられ、結果的にいつまでも親から自立できないということが起こります。

現実を加工する（失敗させないように細かく助言する、辛い思いをしなくて済むように先回りして助ける）ことによる干渉は、短期的には子どもを助けているように見えますが、長期的に見ると子どもが強くなり自立する機会を奪ってしまいます。

本来の力が出せるように余計な干渉が入らない状況であれば、子どもは自分の幸福が最大になるような選択をしていくはずです。

その選択は、親から見たらベストのものでない場合もあるかもしれません。けれども、子どもは親とは違う時代を生きていくのですから、親の価値観とは異なる価値観を作り上げていくのが当然だと思えることが大切です。それが子どもを信じるということです。

17　空腹の自由、食欲の自由、排泄の自由

自分で痛い目に遭うことの大切さ

「近すぎる親」は、子どもの状況を、まるで自分のものであるかのように感じてしまいます。そして、自分の子どもは弱いのでとても試練には耐えられないだろうと心配します。

そして、自分の子どもの触れる現実を安全なもの（と親が考えるもの）に加工することにとり憑かれるのです。もちろん、幼い子どもにとって危険な現実はたくさんあるので、そのような中にあって子どもが怪我《けが》をしないように安全を確保することは、親にとって大切な仕事です。しかし、その程度については判断が難しいと言えます。

たとえば、ハイハイができるようになると、赤ん坊は家中を探検します。テーブルには家族が集まるので、赤ん坊はテーブルの下に入りたがるものです。みんなの足があるし、時々下を覗いてくれる（いないいないばあのようになります）ので、たいていの子どもはテーブルの下が大好きです。

しかし、そこにはテーブルの脚や天板、椅子の脚や座面など赤ん坊が頭を打ちそうなものがたくさんあります。そのため、はじめのうちは、入るとすぐに頭を打って泣いたりします。

けれども、毎日テーブルの下に入るうちに、頭を打たないような動き方ができるようになってきます。

どうすれば痛い目に遭《あ》わないで済むかということを、身体を使って覚えていくのです。
ちなみに、わが家では、どの子もテーブルの下で少し痛い目に遭いながらも適切な動きを身につけてくれましたが、家庭によって「現実の加工」の程度は異なります。
ある友人の家では、テーブルの下を低い柵で囲って子どもが入れないようにしていました。別の家では、椅子やテーブルの脚の角をガードするクッションで覆っていました。
どのような方法が適切かは、家によって、子どものタイプによっても異なるでしょう。

空腹の自由、食欲の自由

以下は、親による「現実の加工」が行きすぎたために、子どもの食欲に問題が生じてしまったケースです。

【例】三十代の専業主婦。同い年の夫と五歳の娘Aちゃんの三人暮らし。Aちゃんの肥満のことで相談に来られた。Aちゃんは元気な女の子で身長は百二十センチ、体重は二十五キロ。たしかに少しぽっちゃりしている。診察室で話しかけると、はきはきと答える。

自宅でのAちゃんの生活ぶりをたまたま見る機会がありました。私の短い訪問の間にも、母親はつねにAちゃんのお腹が空いていないかを気にしていました。「お腹空いてない？」としょっちゅうAちゃんにたずねますし、Aちゃんがなにも言っていないのにお菓子を与えます。これではAちゃんは「お腹が空いた」と感じる機会を奪われていることになります。

空腹を感じて、「なにかおやつない？」と親にたずね、その結果として（自分が働きかけた結果として）なにか食べ物をもらい食欲を満たすという体験を、Aちゃんはほとんどしたことがないようです。

この母親がなぜそこまでAちゃんの空腹を怖れるのか。その理由はいろいろ考えられますが、とにかく、空腹になる前に食べ物をどんどん与えられることによって、Aちゃんがつねに食べすぎの状態になっていることはたしかです。

さらに、Aちゃんは毎日牛乳を一リットル飲むのだと言います。母乳をやめた一歳半からずっと続いているそうです。そして、母親はAちゃんが牛乳を飲むと安心すると言いますが、これもAちゃんが自分から牛乳を欲しがるのではなく、お菓子を与えるのと同じように、母親は一日に何度も「のど渇いてない？」とたずねて、その都度牛乳を飲ませているのだそうです。食事の時も、水ではなく牛乳をコップに入れているとのこと。なお牛乳をたくさん飲ませる母親に、診察ではよく出会うように思います。これは、ある意味で離乳ができていないのと同じことと私は考えています。子どもと離れることの不安を、牛乳を与えて飲ませるという、いわば「擬似的な授乳」で補っているのです。

どうやらAちゃんの肥満は、母親によって作られているもののようです。Aちゃんはまず、空腹を感じる自由を与えられるべきです。

排泄の自由

次に紹介するのは、小学一年生の息子さんが学校でお漏らしをするということで、父親が面接に通って来られた例です。

【例】 小学一年生の男の子Bくん。一年生の二学期になってから頻繁に学校でお漏らしするようになった。父親が理由をたずねるとBくんは「遊んでいたら楽しくてトイレに行くのを忘れて漏らしてしまった」などと答える。父親は「この子はもともと尿意を感じにくい体質なのだろうか」と考えている。家でもおしっこがしたいようなそぶりをしているのでトイレに行くよう注意するが、Bくんは「おしっこは出ない」と言い張る。それでもトイレに連れて行くと勢いよくおしっこをするということが時々ある。父親は学校でのお漏らし対策として「(おしっこがしたくなくても)休み時間ごとにトイレに行け」と子どもに言っているが、それができていないらしい。家ではお漏らしすることはない。家では周りがトイレに行けと言うからだろうと父親は言う。

空腹の自由や食欲の自由と同じで、排泄《はいせつ》の自由に関しても、親はできるだけ早く、子どもにその自治権を譲り渡してしまうべきです。

そもそも、学校でお漏らしするからといって「休み時間ごとにトイレに行け」というような命令を下すことは、子どもを強迫神経症にするための指示のようであり、絶対にすすめられません。むしろ、家庭において、Bくんはいつも自分でおしっこに行きたいと思う前にトイレに行くよう命令されてしまうので、自分で自分の尿意を感じる機会が奪われているのです。

このように指摘しても、すぐに問題が改善されるわけではありません。たいていの場合は、なかなか状況は良くならないというのが現実です。

しかし、たとえトイレに失敗した場合でも、親は「淡々と」片付けてあげるのが一番です。叱《しか》ったり悲しそうな表情をしたりすらしないのが良いです。そして上手《うま》くいっても、喜びすぎないことです。また、「ウンチがちゃんとできたら○○を買ってあげるね」といったように、ご褒美で釣るのも良くない方法です。

トイレをちゃんとすることとは、あくまでも子ども自身のためであって親のためではない、ということをしっかりと伝えることが大事です。トイレが上手くいかないことは、子どもが困るべきことであって、失敗するうちは親が片付ける。それだけです。

ここでの「淡々と」という言葉の意味は、冷たく接するとか無関心というのとは違います。親が心にとめておくべきことは、「トイレを失敗しても成功しても、あなたのことが大好きだということはまったく変わらない」という子どもへの気持ちを忘れないということです。片付けている時に、もしも子どもが「失敗してごめんね」のような言葉を言ってきたら、「良いのよ。いくら失敗しても構わない。お母さん（お父さん）は、あなたのことが大好きよ」というように言葉にして伝えてあげるのも良いでしょう。

トイレの失敗はSOSの表現である

私はこれまで、診察や面接の場で、トイレトレーニングが上手くいかなかったり学校でお漏らししてしまうといった排泄をめぐる問題を起こすことによって、子どもが親の愛情（関心と言っても良いです）を確認しているのではないかと思われるようなケースに出会ってきました。

たくさん塾に行かせられたり、厳しくしつけられたり、親が疲れていて子どもに関心を向けてやれなかったりすると、子どもは親の関心を引くためにSOSの表現をします。トイレの失敗は、親の関心を引くための強力な手段の一つです。

たとえば、三、四歳の子どもが、下に弟や妹が生まれたためにいわゆる「赤ちゃん返り」の状態になり、トイレの失敗が再発してくるといったケースはその代表的なものです。

このような場合に、トイレの失敗という目に見える行動に関心を集中させてしまって、それをなくそうとしても上手くいきません。それゆえ、診察では、表面に出てきているトイレの失敗という事態に惑わされず、淡々と、なんでもないことのように片付けてやって、失敗をけっして叱らないようにアドバイスします。

つまり、トイレの失敗をめぐる愛情確認のゲームに、親が乗らないようにするのです。その代わりに、そんなことをしなくてもあなたのことが大好きだというメッセージを十分に送ってやるのです。

勉強の自由だって同じこと

ちなみに、トイレトレーニングの段階で生じる親と子の問題は、もう少し年齢が上がってからの、勉強をする／しないということをめぐって現れてくる問題と、ほとんど同じ構図になっています。

トイレの問題と同じで、勉強をするのもしないのも子どもの問題、すなわち勉強の自由であるとして、親は見守るだけで良いのです。

勉強をしないと叱り、勉強をすると褒めるといったような態度で子どもに接すると、子どもは自分のために勉強するのではなく、親に叱られないように、もしくは親を喜ばせるために勉強するようになってしまいます。

あくまでも淡々と接して、勉強ができてもできなくても、あなたのことを大切に思っているというメッセージを送ることで、子どもは自分を好きになり、自分のために勉強をすることができるようになっていきます。

18　頼りないので手放さない

いつまでも未熟なままでいて欲しい

子どもと自分の距離が上手《うま》くとれない親は、往々にしてさまざまな方法で子どもの出会う現実を加工しようとします。そのまま現実に触れると未熟なわが子には危ないので、安全なものに加工してから触れさせようというわけです。

わが子のことを未熟で頼りないと思うことは、子どもから離れられない親にとってはとても安心できることなのです。子どもが未熟であれば、まだまだ親が守ってやらねばなりません。

逆に、子どもが未熟でなくなれば、あれこれとかまうことは、お節介や過保護になってしまいます。こうなると、親は子どもから手を引かねばなりません。それは、親の胸に、子どもから捨てられるような不安をかきたてます。それで、かなり大きくなってからでも、子どもを未熟なものとして干渉しようとします。

【例】　母親Aさん。大学三年生の息子の相談で通院されている。友人たちが子どもの就職活動の話をしているので気になっている。自分の息子はそういうことに疎いし、面倒くさがりなので出遅れてしまいそうだ、資料を集めるぐらいなら自分がやってあげた方が良いのではないか、などと思う。子どもに任せて放っておいたら、取り返しのつかないほど出遅れてしまうのではないかと不安である。

大学生の就職活動に関して親の方が詳しいつもりでいるというのは明らかにおかしいと思いますが、Aさんは真剣です。それに、昨今の日本においてAさんのような親は、けっして少数派ではありません（私の知っている中にも、実家の母親から就職情報の資料が毎週大量に送られてくることに閉口していた学生がいました）。もしも、子どもが自分から親に対して、自分は忙しいのでこのような資料をこれこれの場所から取り寄せて送って欲しいと頼んだのであればまだ許容できます。子どもがそれなりに自発的に動けているからです。

けれども、入社式に親も出席する、初期研修でのレポートを親が手伝う、など、働き出しても親の手助けが続くようなケースが、実際にあるのです。

いつまでも自分の手元に置いておきたい

次の例も、親が子どもを手放そうとしないケースです。

【例】中学三年生の女の子。夏休みに、バスケットボールの練習があるのに、夜遅くまで起きてゲームをしている。母親は、ちゃんと眠らないと次の日に起きられないし、バスケットの練習中に熱中症になるかもしれないと心配している。親が言ってやらないと、子どもは分かっていないと思っている。

睡眠不足であれば、翌日の体育館の暑さには耐えられないかもしれない。熱中症になるということまでは思っていなくても、ちゃんと寝ておかないと練習での体調が心配だ、といったことぐらいならば、中学生なら分かっているはずです。その先は、自分で寝不足の翌日に体調不良を体験していくしかないはずです。

しかし、親の方は、いつまでも自分の子どもを手元に置いておきたい、そのためにも子どもを管理するという立場を手放したくないので、「早く寝なさい」といったことを親が言うべきだと思っています。つまり、「自分の子どもは未熟だから、ちゃんと寝ないと次の日にしんどくなるということが分からない。親である私がちゃんと注意してやらないと。まだまだ一人では無理だ」と感じることで、子どもが自分から離れていくことを否定しようとするのです。

この例で言うと、親が子どもの自立を邪魔してでも、睡眠不足による熱中症を予防すべきか、それとも、子どもが、自分の体調を管理するのは自分であると、寝不足とその次の日の体調不良を体験して学ぶべきか、どちらが本質的なことであるかということになります。

このようなことを書くと「では、先生の言う通りに子どもに早く寝なさいと注意しないでいて、次の日熱中症で子どもが死んでしまったら、先生はどう責任を取るつもりなんですか」と怒るような親が必ずいます。

ここで私が問題にしているのは、子どもの熱中症をどう防ぐかということではなくて、子離れができない親にどうやって自分が過干渉であることに気づいてもらうかということなのですが、子どもを手放したくない親にそこのところに気づいてもらうということは、なかなか難しいことです。

親の子離れも、少しずつ、心配しながら、子どもを信じて

子どもが成長すると、子どもが親である自分から離れていってしまうということから生じる「見捨てられ不安」を感じないでおくために、親は「うちの子どもは未熟なので自分が守らねばならない」と思い込むことで防衛しているのです。

人が防衛《ぼうえい》機制《きせい》を使うのは不安から逃れるためです。不安から逃れるために無意識に使っている守りを取り除こうとすると、当然抵抗が現れます。

そのため、その防衛を攻撃するような意見、たとえば「あなたは子どもが成長したら親としてのあなたが子どもから捨てられてしまうような気がして不安なのです。子どもを実際以上に未熟だと思い込んで自分の過保護を正当化しているのですよ」というような説明をすると、親はますます守りを固くするでしょう。先の「先生の言う通りにして、子どもになにかあったらどうしてくれるんですか！」といったような怒りはその典型的な反応と言えます。

子どもは親から離れる時、はじめは親を振り返りながら、少しずつ親から離れていけるようになります。親の子離れだって同じこと。少しずつ、心配しながら、子どもを信じて、子どもを見守る勇気を持って頑張れば、上手く子離れをすることができるでしょう。

子どもを信じるということは、都合よく考えて放任することでないのはもちろん、見守っていれば失敗しないだろうと信じるのでもありません。そうではなく、失敗するかもしれないけれども、失敗してもまた立ち上がる強さを持っていると信じるのです。自分の子どもは信じるに値する子だ、大事にするのに値する子だと信じるのです。親から信じてもらえることこそが、子どもにとって決定的に大切な勇

気の源になります。

19　食べ物は毒？

食べ物への過剰なこだわりは子どもにどういうイメージをもたらすのか

食べ物の安全へのこだわりのたいへん強い親に、時々診察室で出会います。こだわりの根拠が、科学的なものというよりも、迷信といった方がいいような場合すらあります。そのような親にとって「有機栽培」「無添加」といった言葉は、本来の意味を超えて、なにか魔術的な力を持っているかのように感じられているのかもしれません。

【例】　五歳の男の子Aくん。顔をしかめる、突然大きく口を開ける、などのチック症状がある。母親が相談に通って来ている。Aくんは、市販のお菓子は一切禁止されていた。母親は、スナック菓子には危険な添加物がたくさん入っているので、と与えないことにしていた。有機野菜の宅配を頼んでいること、果物は国産無農薬のものを買うことに決めていること、お菓子は自分で手作りのものだけ与えていることなど、食べ物の安全に気を遣っているということが毎回詳しく語られた。ある時病院の近くのスーパーでレジに並んでいると、となりの列にAくんとその母親が並んでいた。私も五歳の息子と一緒だったので、親同士で話をしていると、Aくんが「あーあ！　あんなお菓子食べたらあかんのに！」と、うちの子どもが手に持っていた派手な色の駄菓子を指さして言った。うちの子は「良いねんで！　これ美味《おい》しいねんで！」と言い返した。するとAくんは、大声で言った。「そのお菓子、毒入ってんねんで！　このお店に売ってるもの、毒が一杯やで！」。周囲の人にも聞こえるほどの大きな声だったので、なんとも言えない空気がその場に流れた。

たしかに、なにが入っているか分からないような派手な色のお菓子をできれば与えたくないというのは分かります。しかし、その理由を「毒が入っているから」という強い脅しで子どもに伝えることは、実はかなり危険なことです。

大人はある程度現実が分かっているので構わないでしょうが、幼い子どもはこれから自分なりに世界のイメージを作っていくのです。売られている食べ物の多くに毒が入っている、毒の入ったお菓子を友だちの多くが食べている、というような不安で混乱した状況を親が示すことは、その子にどんな世界のイメージをもたらすのでしょうか。

安心や安全に執着しすぎることには、子どもの環境に対する不安を増強してしまうというデメリットもあるということに気がついている親は、案外少ないように思います。

【例】（続き）　Aくんは市販のジュースも一切禁止されていた。彼は幼稚園で生まれてはじめてヤクルトを飲んだ。その時、彼は一口飲んですぐに銀紙の蓋を戻して、それを家に持って帰ると言って聞かなかった。そして家に持って帰ってきて母親にそれを与えた。「ママ、おみやげ。信じられんぐらい美味しい飲みもんやで。ママにあげようと思って持って帰ってきた」。彼は母親が飲み終わるまで小さな拳を握りしめて母親の顔を眺めていた。次の日もその次の日も、ヤクルトを飲まずに家に持って帰ってきて父親や弟に与えた。

Aくんはすごくやさしい子です。美味しいものを味わった瞬間に、お母さんを喜ばせたいと幼い心で思ったのでしょう。これは、毒だと言われていたものが実は砂糖だった、という狂言「附子《ぶす》」を彷彿《ほうふつ》とさせる話でもあります。

とはいえAくんから見えている世界のことを思うと、複雑な気持ちになります。身体に良い食べ物への過剰なこだわりが、子どもに対して「食べ物は危ないものが多い」「世界は怖いところだ」というようなメッセージを送ってしまうことになりかねないということに、親は注意する必要があります。

幼い子どもにとって、親の言葉はすごく大きな力を持っています。親の脅しは効きすぎるのです。子どもにとって大切なのは、食べ物を慎重に選ぶことよりも、まず食べ物を好きになること、お菓子は美味しい！　楽しい！　今度はどんなお菓子を食べよう！　というような気持ちがまず子どもの中に育つこと、その方が、子どもの発達の全体を考えれば、ずっと重要なのではないでしょうか。

親の脅しは効きすぎるということを忘れてはいけない

なぜ親の脅しは効きすぎるのでしょうか。それは、子どもから見える世界では、お父さんやお母さんは世界一だからです。大人はかつて自分が子どもの頃にそう考えていたことを忘れてしまいます。

かくいう私にも、自分の子育て中に、そのことをまざまざと思い知らされることになった、以下のような出来事が起こりました。

【例】　近所のスーパー銭湯でのこと。私は小学三年生の次男と一緒にサウナ室にいた。中のテレビではサッカーの試合が放映されていた。ロナウジーニョの華麗なエラシコ（フェイントの一つ）が決まった。そのスロー映像が流れている最中に、次男が私に向かってこう言った。「パパもあれできるよな?」私も他の大勢の客も苦笑した。次男は不満そうに「パパの方がエラシコ上手いよな?」とたたみかけるように言った。

私はいつも子どもに家で大ボラを吹いている父親と思われたことだろうと、身の縮む思いをしておりました。しかしその次の瞬間に、三十年以上前に、まさに自分も同じような状況で、同じことを言ったことがあるのを思い出しました。

その時は、法事の後かなにかで、親戚が大勢集まっていました。テレビではプロレスをやっていて、ジャンボ鶴田がジャンピング・ニーパッド（飛び膝蹴り）を決めたところで、私は父に言ったのです。「パパもあれできるよな?」しかし、父親が肯定してくれなかったのでしょう。私は「パパの方が鶴田よりもずっと強いよな!」と断固として主張したのでした。その時、父がなんと答えたか覚えていないのですが、父親の態度が子どもの私には不満だったのをよく覚えています。あの時の父親の気分を、私は三十数年後に理解したわけです。

いろいろ世の中のことがよく分かっているようでいて、しかし、当然のことながら、子どもの常識は大人のそれとは大いに違っています。彼らにとって、親の言葉は重く、その親から「売っているお菓子は毒が入っているから食べたらダメよ」とか「ちゃんと勉強して良い成績をとらないと生きていけないよ」などと言われると、その言葉は、大人の意図をはるかに超えた重い縛りとなって子どもの心に居座るはずです。つまり、世界は悪意と危険に満ちているというメッセージを、子どもに送ることになるのです。

まず楽観的になること、世界を好きになることが重要

不登校や引きこもりに関する相談を受けていて、日々強く感じることがあります。それは、そういう状況に陥った子どもたちの多くが、小さい頃から「必死で頑張らないと、この世の中で生きていくのはすごくたいへんだ」というメッセージばかりを、親から受けとってしまっているということです。

親の方は、子どもは呑気《のんき》だから世の中のたいへんさを教えてやらないと痛い目に遭《あ》うと心配しているのです。親の目には、幼いわが子の無防備なまでの楽観性、世界への向き合い方が、たいへん危なっかしいものに映るのかもしれません。

しかし、そのような楽観性があるからこそ、子どもたちははじめての世界に喜びを持って出て行こうとするのです。世の中がたいへんなことぐらい、子どもは親から脅されなくても十分に気がついています。幼稚園でも保育園でも、仲間との競争は彼らの日常です。子どもの持っている楽観性は、幼い彼らが、彼らなりの厳しい世界を生きていくための大事な守り神なのです。

その大事な楽観性を潰《つぶ》そうとするのではなく、守ってやることこそが親の大切な仕事なのです。時にくじけそうになる彼らに、勇気を与えられるのは親です。それこそが親の役割とさえ言えます。子どもを幸せにしようと思えば、彼らの楽観性を失わせないことが、なににもまして大事です。

20　優等生はなぜいじめられやすいのか

厳しく育てることの問題

厳しく育てると、子どもは大人から見ると「しっかり」した子に育つかもしれません。そのような子どもは、大人から見ると頼もしいし、安心できます。なにより、大人の気分を良くしてくれます。

しかし、そのような子どもには、親からは見えにくい問題もまた多いものです。ある子どもが相手にどのように接するかは、それまでにその子どもがどのように接してもらったかに大きく影響されます。

【例】　クラスで人気がない小学三年生のＡくん。Ａくんは「自分はみんなに嫌われている」と母親に話していた。母親が担任の先生に相談したところ、先生もそのように感じているとのことだった。先生から見て、その原因は、Ａくんは他の子の間違いや失敗に厳しすぎること、いたずらなどを先生に告げ口すること、きちんと謝らせないと気が済まないこと、などにあるのではないかということだった。母親は、きちんとしつけなければという思いがいつもあって、これまでずっと厳しく接してきたという。

私は週二日、夜に二時間ほど近くの小学校の体育館で遊びサークルを運営しています。小学二年生ぐらいから六年生までで、参加者のほとんどは男の子です。主にはフットサルをしていますが、子どもの気分によってキックベースや鬼ごっこをすることもあります。

はじめてからもう十年近くになりますが、気になることの一つに「よくしつけられている子の問題」があります。よくしつけられている子は、始まりと終わりの挨拶をきちんとします。そして、こちらの気持ちをよく読んでくれます。

たとえば夏場は夜になっても昼間の熱気が残っていますので、入り口の鍵を開けたらまず私は窓を開けます。この時、頼まれなくても自分から窓を開けるのを手伝ってくれる子どもが、どの学年にも二、三人います。そんな子たちは、片付けの時も、言われなくても率先して手伝ってくれます。

このような気の利く子と接していると、こちらはとても気分が良いものです。それは、頼んでも動いてくれない、全然気が利かない子ども、顔を合わせてもなにも言わず、なんとなく目をそらすような子どもと比べると歴然としています。

ところが、大人から見ると感心で安心できる、そのような子どもがぶつかりやすい壁があります。四年生ぐらいまでは、そのような子はリーダー的な存在になります。学校やスポーツクラブなどでも、大人とのコミュニケーションが上手な優等生は、委員長やキャプテンを任されることが多いものです。

けれども、五、六年生となり、子どもたちが思春期の入り口になってくると、状況が変わってきます。その頃から、大人から見たら感心な子どもに対する、周りの子どもたちの接し方が変わってくるのです。

それは、はじめは、小さなからかいであったり、軽い仲間外れであったりします。大人になったみなさんはもう覚えておられないかもしれませんが、誰もがこのような微妙な時期を通り過ぎています。

その頃のことを思い出してみてください。たとえばコーチから信頼されている優等生のBくんという子がいるとします。このBくんが仲間からどのように浮いていくのか。以下に説明してみます。

【例】コーチのお気に入りのBくん。二人一組や数人でするゲーム前のウォーミングアップで、誰もBくんと組みたがらなくなってくる。ふざけて鬼ごっこなどをする時も、誰もBくんを狙わない。大人には分からないギャグやフレーズを使って子どもたちはふざけ合うが、Bくんにはその意味が分からないので戸惑ったりする。Bくんが冗談を言っても、内容が幼かったりピントが外れていたりするのでみな静まりかえってしまう。それでもコーチや先生の言葉を、Bくんがリーダーとして伝えさせられることが多い。それで、子どもたちは意味もなくBくんのことを笑ったり、Bくんの口まねをしてからかったり、無視したりする。ダッシュや持久走など、Bくんは今まで通り真面目に頑張って好タイムを目指すが、他の子たちは手を抜いて真剣にやらない。

これらは、場合によっては、大人からはいじめのように見えることもあります。Bくんもまた、そのように感じている時があるかもしれません。エスカレートすると、持ち物を隠したり汚したりといった、明らかないじめに発展していくこともあるでしょう。

ところで、一見矛盾しているようですが、このような時に「攻撃」の中心になる子どもも、やはりBくんと同じようなタイプ、すなわち優等生的な要素を他の子よりも強く持っている子であることが多いのです。

そのような子は、自分が優等生でないことを強調するかのように、Bくんの優等生的なところを攻撃します。これは心理学的に言うと、防衛機制《ぼうえいきせい》のうちの投影《とうえい》にあたる行為と考えられます（投影については、25章で詳しく説明します）。自分の中にある認めたくない要素を、他の誰かに映し出し、それを攻撃することで「自分にはそんなところはない」と安心しようとしているのです。

優等生はなぜいじめられやすいのか（その1）——思春期という問題

すでに10章でも説明しましたが、思春期になると、子どもは自分の考え方や価値観が親とは違うことを確認したり強調したりするかのような言動が目立ってきます。そして、自分の中にある親に従順な部分や親を求める気持ちを怖れたり嫌ったりします。

そして、同じように友だちにもそのような要素（親の言うことを素直に聞く、先生の言いつけをきちんと守るなど）を見出して、それらをからかったりします。それは、自分にはそのような要素はないということを確認しようとする行動ですが、その根っこには、自分にもそのような要素があることへの怖れがあるのです。思春期のはじまりとともに、それまでリーダー的な存在だった子どもが仲間から疎外されていくことの背後には、このようなメカニズムがあると私は考えています。

ほとんどの場合、Bくんのような立場に置かれた子どもも、その子どもに固有のセンスで、そのピンチを乗り越えていきます。たとえば、自らキャラクターを変えていく（たとえば道化役を演じてみたり、あえてコーチに逆らってみたりする）ことによって、仲間から空けられた距離を縮めることに成功します。あるいは、すでにそのような葛藤を乗り越えた子（先に大人になった子）が、いじめの先頭に立っている子（いじめられている子と同様に葛藤の只中にある子）との仲を上手《うま》くとりなす場合もあります。

しかし、不幸にもこのような融和《ゆうわ》が得られない場合、不登校という選択がとられることも少なくありません。不登校に至るまで、子どもは一人で苦しみ続けます。長い間苦しんで、ようやく自分を守るために不登校を決断するのですが、親にしてみれば青天《せいてん》の霹靂《へきれき》ということになります。

そして、そのような場合、表面的にはいじめが不登校の原因とされるわけですが、その根底にあるのは、親の厳しいしつけによって、子どもがいくつかの能力を身につけ損なっている点にあるというケースも少なくありません。

優等生はなぜいじめられやすいのか（その2）――親のしつけの問題

右の事例におけるAくんやBくんのような子どもの親は、おそらくきちんとしつけをしてきた親です。彼らには、この章のはじめに書いたように、大人の気持ちをよく読んでくれて、こちらが言う前に、こちらが望んでいるような行動をしてくれるようなところがあります。

けれども、そういう子どもは、往々にして自分の気持ちには鈍感なことが多いものです。そのような子は、いやな時でもいやと言うことが苦手です。それは気持ちを抑えているというよりも、自分の気持ちに気がついていないといった方が正しいようです。かつてKYという言葉が流行ったことがありましたが、このような子の場合は逆です。厳しくしつけられた子どもは、しばしば相手の気持ちや場の空気は読めるのですが、肝心の自分自身の気持ちが分かりません。

そして、このような特性が、子ども同士のやりとりの中で、他の子からは、どこか変なもの、ぎこちないものとして感じられるのです。そういったことに関する子どもたちのセンサーは非常に鋭敏で、疎外すべきターゲットを、残酷なまでに的確に見出します。

親の厳しいしつけや、曖昧さや怠惰を許さないような接し方によって、子どもに反抗心や自分を守る力（時にはずるいことや嘘をついてでもピンチを切り抜ける能力など）が育ちにくいということもあるでしょう。そのため、優等生的な子どもというのは、自分がいくらか仲間からずれていて、そのために攻撃されたり仲間外れにされていることになかなか気がつきません。さらに、気がついても自分を守るための行動をとることが苦手です。

このように、子どもを厳しくしつけたり、きちんと管理することには、メリットとデメリットがあります。生活習慣や挨拶など大人に褒められる特性は身についても、仲間と打ち解けて過ごす力や、自分を守る能力などを身につけ損なうというリスクがあるのです。このようなことを親は知っておくべきです。

子どもに逃げ道をたくさん残しておくような育て方、追い詰めない接し方、いわゆる「ゆるい」育て方をすると、きちんと挨拶できる子やよく気が利く（と大人から褒められる）子にはなってくれないかもしれません。しかし、その一方で、仲間と上手くやっていく力は順調に育つものです。

それは勉強の成績や運動の記録のように目に見えやすいものではありませんが、子どもにとっては生き残っていくために非常に重要な力なのです。

21 自分を守る心の仕組み――防衛機制について

ぶどうを取れなかったキツネの負け惜しみ

ここからいくつかの章に分けて、自分を守る心の仕組み、防衛機制《ぼうえいきせい》について説明します。

大学一年生向けの心理学の授業で「防衛機制とはなにか知っている人？」と聞くと、手を挙げる人の割合は十人に一人ほどです。それで指名してみると、手を挙げた学生の大半が、イソップの「酸っぱいぶどう」の話をします。

キツネが、頭上にたわわに実っているぶどうを食べようとしてジャンプしたものの、わずかに届かず、何度かチャレンジした後に「なに、あのぶどうはどうせ酸っぱいさ」という負け惜しみのセリフを吐いて、そこを立ち去るというお話です。

ここでキツネは、「どうせ酸っぱくて不味《まず》いだろう」と考えることで、そもそも自分がぶどうを取ることに失敗したことを「たいしたことではなかった」ということにして、「本当は食べたかったのに」という悔しい思いをすることを回避しています。

すなわち、自分の満たされなかった欲求に対して、都合の良い理由をつけることで、不満を感じにくくしています。これは、「合理化」と呼ばれる防衛機制の一例です。

名付けたのはフロイト

このような人の心の働きに、かのジークムント・フロイトは防衛機制という名前を付けました。

フロイトは、精神分析の創始者で、無意識という概念を提唱したことで有名です。フロイトの時代には、防衛機制は本人に苦痛をもたらしている問題の源を隠してしまうものであり、防衛機制を解いてそれが隠していたことを意識できるようにすることで、問題が解決すると考えられていました。防衛機制はいわば悪者であって、どうやってこれを取り除くかということが治療の重要な課題とされていたのです。

防衛機制は悪者ではなく必要なもの

ところが、その後、人間精神の解明が進み、とくに子どもの発達について研究が進むと、大人において問題の解決を阻害しているとみなされてきた防衛機制の多くが、健康な発達をしている子どもにも普通に見られるということが分かってきました。発達の途上においては子どもの心を守る大事な働きである、ということが分かってきてようやく、防衛機制から悪者のイメージが外れることになったのです。

子どもの成長にともなって、防衛機制も、未熟なものから成熟したものへと変化していきます。しかし、いろいろな理由で、いつまでも幼い頃の防衛機制にとどまってしまう人もいて、それが問題を引き起こしていることがあります。そのような場合には、問題の源を隠している防衛機制を取り除き、問題の源を意識化させたり、防衛機制そのものを成長させて変化させたりすることが治療の目標になります。

防衛機制は日常の場面にいくらでも現れている

防衛機制は、自分では知らないうちに働いてしまうものですが、私たちの日常の親子のコミュニケーションにおいても、頻繁に現れて、いろいろな問題を起こしたり解決したりしています。

防衛機制について知ることで、すぐにいろいろな問題が解決するわけではありません。しかし、親が防衛機制というものの働き方、振る舞いを知ることによって、自分や子どもに起こるいろいろな感情や発言、行動の理由を意識できる機会が増え、それを意識することで防衛機制は進化していきます。

次章以降では、いろいろな防衛機制について、日常的な例を挙げながら説明していきます。

22　自分の世界にこもることで自分を守る——引きこもりの防衛

チャイルドシートで眠りに落ちる赤ん坊

この章で取り上げるのは、引きこもりの防衛、すなわち外からの刺激を遮断して自分の世界にこもることで自分を守るという形の防衛機制《ぼうえいきせい》です。

【例】　チャイルドシートに固定された赤ん坊。はじめは動けないのでいやがって泣き叫ぶがやがて眠ってしまう。眠ることで意識のスイッチを消してしまい、不快な状況を体験し続けないで済むようにしている。わざと眠ろうとするのではない（そういうことはできない）。心や身体が眠るという方法を選んでいるのである。

右のような状況を何度も体験するうちに、赤ん坊は、チャイルドシートに固定されただけで（もしくは車に乗せられただけで）落ち着いて、うとうとするようになります。このような現象は、いわゆる「条件反射」（正確には「古典的条件付け」）と呼ばれるものです。このように赤ん坊であっても、自分の世界にこもることで自分を守ろうとすることがあります。これは、防衛機制の一つで「原始的引きこもり」とも呼ばれます。

退屈な授業と真っ赤な十円玉の思い出

以下に示すのも、引きこもりの防衛の例です。

【例】　面白くない授業で眠ってしまう学生。

最近の大学の授業はパワーポイントを使うので部屋を暗くすることが多く余計に眠たくなりやすいようですが、これもまた引きこもりの防衛の一例です。

中身の分からない、興味の持てない話を聞き続けるのは誰だって苦痛です。しかし、出て行くわけにもいかない。となると、たとえ本人の意識としては眠るまいと思ったとしても、眠ることで不快な外界からの刺激（私の講義！）を遮断して、自分を守ろうとする引きこもりの防衛が働くのです。

また、同じような例として、眠るのではなく白日夢《はくじつむ》にふけるというのも引きこもりの防衛です。あるいは、単調な動作に没頭することにも同じ効果があります。

中学生だった頃のこと。数学の退屈な授業で、私は十円玉を赤いボールペンでひたすら塗り続けるということに没頭したことがありました。

ふと気がつくと、私の席の前に先生が来ておられました。見回すと、クラスの全員（といっても、眠っていなかった者だけです）が私を見ていました。

先生は黙ってその十円玉を手に取り、私の額に押し当てました。私の額には平等院の図が、先生の親指には10の数字が、左右逆に赤々と、それは見事に刻印されました。

他にもたくさんある引きこもりの防衛の例

【例】　満員の電車の中でヘッドフォンから漏れるほどの音で音楽に浸る若者。

満員電車の中のように身動きできない状況で他人に囲まれているというのはたいへん不快な状態です。そこで、この若者は、大音量によって他の感覚を遮断して音楽に身を任せるという方法で引きこもり、自分を守っているのでしょう。

また、音楽だけでなく、会話も引きこもりとして使われます。電車の中では、高校生が大声で与太話をしているといった光景もよく見かけます。私の住む関西では、中年女性同士の大声の会話が隣の車両まで聞こえてくることもよくあります。彼女らは、電車の中でなければそのように熱心に話すとも思えないような話題に、とり憑かれたようにはまりこんでいます。これも不安や不快を避ける引きこもりの防衛の一例と言えます。

【例】　サッカーの試合から帰ってサッカーのゲームを黙々とやる子どもたち。

子どものサッカーの大会は、土曜日曜と二日間続けて行われるということがよくあります。二日間とも朝早くから夕方までで一日に三試合、四試合と戦って子どもたちはもうへとへとです。

それなのに「家に帰ってから、またサッカーのゲームをするんです！」と呆《あき》れたように言うお母さんがおられます。

これもまた引きこもりの防衛の一例だと思います。親から見れば子どもの試合ですが、子どもにとっては、試合は練習とは違う大きな緊張感がある特別なものです。楽しみでもあるし苦しみでもあるのです。

わが家の子どもも、試合の後、チームの仲間と家に集まって「ウイニングイレブン」をやっています。試合の後のゲームは、ふだんゲームをしている時と少し感じが違います。みんなで静かに淡々とやっている感じです。

これはいわば「心のクールダウン」だと思います。緊張し昂《たか》ぶって喜怒哀楽に揺さぶられた二日間の試合の心の疲れを、やり慣れたゲームを淡々とこなすことで癒しているかのようです。試合の後にケアすべきは、身体だけではないのです。自分たちの心の疲れをどうやって癒すか、子どもたちはよく知っているのです。こういう時は「もう十分サッカーやったでしょ！　なんでまたサッカーのゲームするの！宿題したら！」などといった無神経な言葉で、彼らの「引きこもり」を邪魔してはならないと思います（私は冷たいお茶やおやつをそっと差し入れて見守ることにしています）。

大人だってしばしば引きこもることをやっている

大人だって、同じように自分の心を癒すために引きこもることがあるものです。

誰も聞いていないカラオケを陶酔して歌う人もいるでしょう。クラシックやジャズのレコードを、お気に入りのオーディオを配置した部屋に閉じこもって聞く人もいるでしょう。

あるいは、好きなアイドルの写真集をじっと眺める人。カメラを何百台も集めてそれを撫《な》でさすってうっとりとする人。プラモデル作りに夢中になる人。盆栽やガーデニングに没頭する人。等々。

これらはみな、わずらわしい外部の情報を遮断して自分の世界に引きこもり、自分を守って、エネルギーを回復するという要素を持っています。

話をまとめましょう。子どもがなにかにはまっている時に、もしかしたらなにかの不安から自分を守っているのかもしれない、という意識を持って接することはとても大切です。

引きこもりの防衛だけをずっと使うことは、将来的にはコミュニケーションの問題を起こすかもしれません。しかし、引きこもりとは違った防衛の手段を獲得するにせよ、それもまた子どもが自分のペースで自発的に身につけていくべきです。

そして、そのためには、まずは本人が自分で選んだ防衛機制で自分を守ろうとしていることを、できるだけ見守ってあげることが大事です。それが子どもを信じるということです。

なお、防衛機制によると思われる行動に干渉することは慎重にすべきであるということの理由の一つは、それは、そもそも防衛として現れているものなので、取り除こうとして直接攻撃したりすると余計に、より強固になってしまうということがしばしば起こるからです。

23　不快をもたらす現実を受け容れない——否認の防衛

防衛機制の種類を判別するのは難しい

これまで説明してきたように、防衛機制《ぼうえいきせい》とは、自分の心を守るために無意識に働いている仕組みのことです。防衛機制には実にいろいろな種類のものがありますので、一つの行動をとってみても、見方によってはいろいろなタイプの防衛機制に見えて、種類を判別したり確定したりするのが難しいこともあります。

したがって、「かくかくしかじかの場面でのこれこれの行動はこの防衛機制です」といったように、かっちりと鑑定することは無理であり、意味もないと私は考えます。

そうではなく、「これは○○に近いかな、しかし××の要素もあるな」などと考える、といった程度の、あくまでもゆるいものとして理解していただければと思います。

この章では、育児において重要な役割を果たす防衛機制である「否認」について説明します。

否認の防衛とは

否認とは、認めると不安や不快をもたらす現実を受け容れないという防衛機制です。これにより、一時的には不安や不快を感じないで済みますが、現実を否認することによって適切な対応をとるタイミングを逸してしまうなどの危険があります。そういう意味では、あまり望ましくない防衛機制であると言えます。

否認は、幼い頃にはだれしも普通に用いる防衛機制です。大人になってからでも、信じがたい話を聞かされた時などに「うそ！」という言葉が思わず口をついて出るのは、その名残であるとされています。

典型的な例をいくつか示しましょう。

【例】 去年より太ったのに、明らかに小さすぎるサイズの服を買ってしまう。以前のサイズの服を買い、それを身につけることで、自分が太ってしまったという現実を否認できる。他人から見ると明らかに無理がある（いわゆる「痛い」状態である）が、本人は平気な顔である（わざとそうしているのではないところがポイント。意識的に行っている場合は、演技であって防衛機制ではない。ただしその境界は白黒はっきりしたものでなくグレーであることも多い）。

【例】 かつてよくドラマで見かけたような場面。優等生の息子が万引きで捕まったと連絡を受けて、上品な感じの母親が興奮して店にやってくる。息子は店の奥の部屋の机に座らされてうなだれている。母親は息子の横にいる店の警備員に対して微笑みながら、「これはなにかの間違いです。うちの○○ちゃんがそんなことをするなんて、絶対にありえません！」とまくしたてる。そして息子の肩を両手でつかみ「ね！　間違いよね！　○○ちゃん、ママが来たからもう大丈夫よ！」と続ける。

子どもの問題と親の否認

子どもの問題にまつわる否認の防衛は、さまざまな形で親に現れます。

私の経験から言うと、不登校の相談で最も多いのは、実際に子どもが不登校になっているケースではなく、不登校になりかかっているか、もしくはすでに不登校になっているという現実を親が否認しているようなケースです。

たとえば、朝いくら起こしても起きてこない子どもを必死で引きずり起こし、荷物を運び出すように玄関から押し出しているのに、「学校に行っている限り、うちの子は不登校ではない」と信じているとすれば、それは現実を否認しているということになります。

また、子どもは、実際には学校に行くことが気分的にしんどくなっていても、欠席する理由としては体調不良だけを訴えることはよくあります。このような場合に、「お腹が痛いから行けないだけで、学校に行くことが嫌なわけではない」という考えに親が固執するのも、現実の否認と言えるでしょう。

これらは、親が子どもの不登校という現実を否認することで、自分の心を不安から防衛しようとする場合の典型的な例です。

子どもの不登校を認めたくない

以下も、子どもの不登校をまずは否認してしまっている母親の例です。

【例】 不登校の男子中学生Aくんの母親。私のところに面接に来られた時点で、不登校になりすでに二ヶ月ほどたっていた。子どもは昼夜逆転しているので、ほとんど顔を合わすこともないという状態。毎回、面接では困ったような笑みを浮かべながら、「なにも変わってないです」と話しはじめる。そして、職場に同じ中学に子どもを通わせている同僚がいるために辛い思いをしていること、夫に相談しても話を聞いてもらえないこと、そのため仕事帰りの車の中で涙が出てしまい家の近くで車を停めて気持ちが鎮まるのを待ってから帰っている、など「自分がいかに辛いか」ということばかりが話される。

母親はいつも「なにも変わってないです」と話しはじめます。Aくんの言動に、なにか変化が起こっているということはないですかと、しっかりと確認してみました。するど、「そういえば、以前は家に帰ってもなんの反応もなかったけど、この頃はAが部屋から出てきて「お帰り」と言ってくれるようになりました」とか、「夕食を一緒に食べたりテレビを一緒に見るようになりました」などと話されました。けれども、これらは重要な変化なのですよと説明しても、全然ぴんと来ない様子でした。

なぜ、この母親は「なにも変わってないです」と言い続けていたのでしょうか。結局、母親は「子どもが学校に行く」ということだけを望んでいて、他のことはそれと比べると些細《ささい》でとるにたらないことだ、と感じているらしいことが分かってきました。

「知り合いのお子さんも、学校に行くのが辛いと話している。しかし、その子はまったく行けていないわけではなく、週に一、二日登校している。学校では保健室で過ごしているらしい。それでもうちの子と比べたら、なんて立派なのだろうと思うと涙が出る」と話しながら、涙をこぼされます。

11—13章で説明した子どもとの距離で考えてみると、この母親は「遠すぎる親」になると思われます。自分がいかに苦しんでいるかにばかり注意が集中しています。一方で、子どもがなぜ学校に行かないのだろうか、家に一人でいてなにを考えているのだろうか、なにを苦しんでいるのだろうか、などといったことには、ほとんど意識が向けられていません。

このような場合、親がすべきことは、現実を受け容れること（否認の防衛を取り去ること）です。治療者はまずその援助をします。それができないかぎり、いくら面接を続けても、状況は良くならないのです。

親が変われば子どもも変わる

その後の経過を紹介しておきましょう。面接がはじまった頃、子どもが学校に行けないことで自分がいかに辛いかばかりを話して涙する母親に、私はほとんど共感できませんでした。むしろ彼女の涙に不快感すら覚えました。おそらく私は、Aくんの気持ちに共感していたのだと思います。

Aくんは学校に行けないどころか、家から出られないほど苦しんでいるのに、母親は自分自身のことしか考えられていないのです。Aくんにしてみれば、そんな母親の涙は面倒くさく腹立たしい（ウザい）ものだろうと私は感じました。

そこで、母親に「自分がいかに辛いか」ということばかり考えるのではなく、「子どもはなにを考えているのだろうか、どんな気分なのだろうか」と考えるようにならないと、状況は良い方向に向かわない、ということを説明しました。

そして、子どもが「なにをするか」ではなく「なにを感じているか」ということにお母さんやお父さんの気持ちが向くようになった頃、Aくんはきっと自分から学校に行く準備をはじめるでしょうと、予告しておきました。

【例】（続き）　面接がはじまってすぐの頃のこと。Aくんがいつも使っているゲーム機が故障した。Aくんは母親に「店に持っていって修理に出してきて欲しい」と頼んだ（Aくんは近所の人の目が気になって家の外に出ることができなかった）。母親は壊れていたままの方がゲームをしなくなって良いと思っていたが、しぶしぶ修理に出しに行った。修理が完了したという連絡を店から受けたが、まだ引き取りに行っていない。「ゲーム機が戻ってきたら、またあの子は夜中ずっとゲームをすることになるので」と母親は引き取りに行かない理由を私に話した。

このような親の考え方はよく見られるものですが、これが「子どもがなにを考えているか」ではなくて、「子どもがなにをするか」（この場合だと、ゲームばかりする、夜もずっと起きている）にばかり、気持ちが向いてしまうということです。そのように説明して、すぐにゲーム機を渡してあげることの大切さを説明しました。母親は次の面接で「ゲーム機を渡した時、久しぶりにAが私にありがとうと言ってくれました」と話されました。

それから半年ほどたった四月に、新学年がはじまるのに合わせてAくんは学校に通うようになりました。私はその予感がしていたので、三月になったばかりの頃に、面接で母親に「おそらく息子さんが突然「四月から学校に行く」と宣言すると思いますよ」と予告しておきました。

母親はまったく信じていませんでしたが、その翌週に私の予告通りAくんが自分たち両親に再登校の決心を伝えたと話してくれました。

その頃になると、母親や父親のAくんへの接し方は、はじめの頃よりもずっとやさしく彼を信頼したものになっていましたし、Aくんもいろいろなことを親に話すようになっていました。

そのような段階になると、子どもは自分で動きはじめます。Aくんにもなにか大きな変化が起こることは十分予想できました。それでも私が、Aくんの再登校を確信し、普通はしない「予告」までしたのは、二月のある面接で、母親から次のような話を聞いたからです。

「この前、子どものゲーム機がまた故障したのです。今度はすぐに修理に持って行きました。戻ってきたら、今度はすぐに取りに行ってやるつもりです。ずっと家の中にいるあの子には、ゲームはすごく大事なものですから」。

母親は本当にやさしい表情で、嬉《うれ》しそうにこの話をしました。話を聞いた私は、言葉では説明できないような、すごく幸せな気持ちになりました。それはあたかも、抱き締められているような気持ちでした。私の目からは涙が出てきました。私はその時、母親のAくんへの愛を、Aくんに代わってしっかりと感じました。

これだけ親に愛されて力が出てこないわけがありません。勇気が出ないはずがありません。そして私は、会ったことのないAくんの気持ち、Aくんから見えている世界に思いをめぐらせました。それで私は、Aくんがまもなく学校に戻るであろうということを確信したのです。

最後に、Aくんが学校に行くという決心をした翌週の面接でのやりとりを、もう少し詳しく書いておきたいと思います。

その日の面接でAくんが両親に再登校を宣言したという報告を聞いた後、私は母親に「Aくんからその話を聞いてどう思いましたか」とたずねました。

面接がはじまった頃は、彼女は毎回のように「せめてAが家から出てくれたら、散歩でもしてくれたらどんなに良いか」と泣いていました。

ところが、Aくんの再登校について、あれほど待ち望んでいたのに、母親は「Aは大丈夫だろうかとすごく心配なのです」と話されたのでした。嬉しさよりも、心配の方がずっと強いと言うのです。長いこと休んでいた学校に戻る不安は、おそらくものすごく強いもののはずです。母親は、そのAくんの不安にしっかりと共感できるようになっていたのでした。

子どもの心を感じられるようになること、そして、子どもを信じられるようになること。私が面接で親に伝えたいことは、結局それだけだと思います。それと比べたら、子どもが学校に行けているかどうかなどということは、どちらでも良いことだとすら私は思っています。

24 育児の不安、親の不安――置き換えの防衛

置き換えの防衛

この章で取り上げるのは、「置き換え」という防衛機制《ぼうえいきせい》です。これは、目の前にある困難な現実ではなく、とりあえず対処しやすい別の悩みにとらわれることで、本来取り組むべき問題から、一時的にであるにせよ、逃れるというものです。

しかし、これは問題の根本的な解決ではないため、一時的に楽になることはあっても、いつかはその現実に向き合わなくてはならない時がやってきます。

受験の不安と手洗いの儀式

【例】高校三年生男子。彼は一日に二、三時間も、石けんが何個もなくなるほど手を洗っていた。それほど洗うので、手の皮も脂がぬけてぱさぱさになっている。引き戸の開け閉めもたいへんで、みなが触っていない一番上の方を、ハンカチで押さえながら開け閉めする。「汚れたものに触ったかもしれない」という思いがなかなか消えず、手洗いをやめられなくなっている。自分でもおかしいと分かっているが、洗わないと気が済まない。彼にこの症状が

出たのは二回目で、前回は中学三年生の時だった。当時も受験勉強をしなければならないのに、手洗いに時間を取られて困ったという。けれども、指摘されて本人も不思議がっていたが、もともと神経質でいろいろなことが気になる性格なのに、受験に関しては「合格できなかったらどうしよう」といったような不安はほとんど感じた記憶がないという。今も受験が近づいているが、心配しても仕方がない、と気楽に構えている。

彼の場合、近づいてきている受験に対する不安が、より向き合いやすい（実際にはかなり困っていましたが）手が汚れたのではないかという不安に置き換わっていたと考えられます。案の定、受験が終わったら手洗いの儀式もなくなりました。

このような場合に大切なことは、「そんな無意味なことをするな」と頭から抑えつけないことです。たしかに、他人から見ると無意味な行動かもしれませんが、自分を押しつぶすほどの強烈な不安に立ち向かうために、本人の心が必死で編み出した方法なのです（たとえ本人もその方法に苦しんでいるにしてもです）。

こういう時は、周囲（とくに親や家族）がその行動をやめさせようとすればするほど、その行動への固執が強まることが多いようです。防衛は、文字通り守りの姿勢ですから、攻められると余計に強固になっていくことが多いのです。

それが防衛機制であることを意識することが基本

それでは、子どもが置き換えの防衛によって不安をまぎらわそうとしている場合、親としてはどのように対処すれば良いのでしょうか。

なかなか難しいことですが、まずはそれが防衛機制から来る行動であることを意識するということが基本になります。そのような行動は防衛機制の現れであり、子どもの心が自分自身を守るために編み出した大切なものであると親は意識するのです。

そうすることで、子どもへの接し方は、自分では気がつかないレベルで変化します。その変化は、子どもの不安やそれにともなう症状に対して、必ずと言って良いほど良い方向に働きます。

たとえば、そのことを意識することで、子どもの防衛機制に巻き込まれて一緒に混乱するということは避けられます。そうなると、親の落ち着いた態度が子どもにも伝わって、子どもの不安やそれにともなう行動もおさまってくるのです。

面接に苦情を言いに乗り込んでくる親

【例】　不登校の中学生男子。母親が面接に来ている。子どもは部屋にこもってテレビゲームばかりしている。母親は子どもの生活が昼夜逆転しているので朝起きられずに学校に行けないと考えている。なんとかゲームの時間を減らそうとして、しつこく子どもに注意している。子どもの方は追い込まれているようで、家庭内暴力が出かかっている。夜中に大きな声で叫んだり、壁を殴って穴を開けたり、電話帳をハサミで切り刻んだりといった行動が見られる。

子どもに暴力が出てくる場合、親の側には次のような共通点が多く見られます。①子どもの要求を頑《がん》として受け容れない、②宗教や権威のある人の考えなどを、親がかたくなに信じていて、その価値観を子どもに押しつける、などです。つまり、子どもの意見や主張を認めていないのです。その上、不登校という子どもの表現も無視（否認）しようとします。

このような状況では、子どもからの発信が親に伝わらないか、伝わっても聞き流されてしまい、親からの返信がありません。

そうなると、子どもは、なにか価値のあるものを傷つけて、親の関心をなんとしてでも惹《ひ》こうとします。

「学校に行かない」ということは、自分の人生（時間や可能性）を傷つけることです。拒食や過食、リストカットは、自分の身体を傷つけることです。家のものを壊すことは、親の財産を傷つけることです。よほど追い込まれると、親を傷つけるところまで行くでしょう。

例によって、私はこの母親に、指示の言葉を控えて、子どもの思いや考えを聞くように、そのような言葉がけをするようにと面接でアドバイスしました。

【例】（続き）　母親が指示の言葉を控えるようになると、子どもに大声を出したりものを壊すような行動は見られなくなったが、今度は父親が面接の内容について聞きたいことがあるとやってきた。父親は「家内は先生が「子どもがゲームをすることに注意をするな」とおっしゃったと言うので、信じられないことだと思って確認しに来ました。それは本当ですか」と強い口調で切り出した。「息子はゲーム中毒なので、親が注意しなければ一日中でもゲームをする。ゲーム中毒で死ぬ人もいるらしいし、死なないまでも人格異常になったり犯罪者になるかもしれない。ゲームが有害であるのは明らかなのに、先生はやらせろと言う。もし息子がゲーム中毒で死んだら、先生はどうやって責任を取るつもりなんですか！」

この父親のような例は極端なケースですが、けっしてまれなものではありません。子どもの問題で親と面接をしていると、これと似たようなことは、ちょくちょく経験します。まずは母親が面接に来ていることが多いので、後から乗り込んでくるのは父親、というパターンがどうしても多くなります。なかには殴りかからんばかりの親もいるので、こちらも慎重になります。

そういった場合も基本は同じで、まずは話を聴いていきます。そのようにして接していると、父親としても、今の自分たちの接し方では上手《うま》くいっていないことには、気がついているという場合がほとんどです。カウンセリングなんか役に立たないからやめろ、と妻に命令して行かせないような父親もいるのですから、わざわざ出向いてくるということは、なにか自分たちでは処理しきれない状態になっているということを、心の底では認めているのです。

【例】（続き）父親の話をよく聴いていくと、彼自身の不安が語られはじめた。「これまで良かれと思って厳しくしつけてきた。次第に学校に行かなくなった。はじめは体調が悪いのだと思ったが、医者にかかってもどこも悪くないと言う。インターネットなどでいろいろ調べたが、どこを見ても無理に行かせない方が良いと書いてあるのでその通りにしていたが、どんどん状態は悪くなってしまい、今は部屋から一歩も出てこない」。

このような場合、カウンセリングでは、まずは父親に対してその来訪をねぎらいます。カウンセリングの最大の目的は、子どもが辛い状況を抜け出すことです。親が来なくなってしまっては、子どもとも縁が切れてしまいます。苦情を言いに来たにせよ、父親だって子どものために時間とお金をかけて来ていることに違いはないのです。

この父親は「いつまでも未熟な子ども」を厳しい現実から守るために、必死で現実を加工しようとしています。たとえば、事故に遭《あ》うかもしれないからと、子どもが自転車に乗る範囲についても厳しく制限をかけているようでした。しかし、親の不安が、子どもの自由を制限する、つまりは子どもの自立を抑え込むための言い訳となっていました。

子どもへの接し方の問題を指摘することの難しさ

もしも親がある程度安定しているようなら、子どもに対する接し方についてアドバイスをすることが可能です。親は自分たちのこれまでの接し方では上手くいっていないことを意識できており、こちらの助言を聞き入れて、現在の問題にどう向き合うかを考えて、冷静に子どもへの対応を変えていくことができます。

しかし、親自身が混乱の渦中にある場合は、そう上手くはいきません。親自身が不安定な状態にあって、子どもの問題をその隠れ蓑にしている場合などは、自分の子どもへの接し方などは問題ではなく、子どもこそが問題なのだと、治療者に対決してきます。

これは、23章で説明した「否認の防衛」です。自分になんらかの問題があるかもしれないという考えは固く封印されています。子どもに問題が起きていることすら否認する親もいます。ちょうど今少し体調が悪いだけである、ちょっと間が悪いことが重なって子どもが少し疲れてしまっただけだ、などと言います。

このように、親が現実を見つめることを避けている場合には、まず親を受け容れて当面は親の不安を面接の主題にしていかねばならなくなります。

過剰な干渉ではなく見守る勇気を

【例】　摂食障害の大学生女子。両親による子どもへの過干渉が目立つ。門限は七時でアルバイトは禁止。事故に遭うからといって、運転免許を取りに行くことも許さない。娘は拒食や過食を繰り返していたが、家から一歩も出なくなった。やがて、家族の誰とも口をきかなくなり、部屋からほとんど出てこないようになった。そこで、母親が面接に来るようになった。まずは「指示や禁止の言葉を使わないように」とアドバイスをしたところ、娘は部屋から出てくるようになった。そして、夜に近所を散歩するまでになった。母親は夜に外に出るのは心配なので禁止したいと面接で話した。せっかく自発性が出てきているので、できるだけ娘のやりたいようにやらせてあげるようアドバイスしたところ、父親がやってきた。父親は私に「夜に外を歩いていて交通事故や犯罪に巻き込まれたら、先生はどう責任を取ってくれるんですか?」と怒りで顔を赤くして強い口調で言った。

このケースでは、両親の過剰な干渉が子どもの力を奪ってきたことは明らかでした。しかし、一つ一つの制限は異常というほどのものではありません。たしかに、夜に散歩していれば父親の心配しているように事故や犯罪に遭う可能性はゼロではないでしょう。

この父親は、「自分の言っていることは間違っていない」ということに、非常に強くこだわっていました。面接の経過の詳細は記述できませんが、私が時間をかけてこの父親に考えてもらったのは「親はどこまで干渉すべきなのか」ということでした。

夜更《よふ》かしするよりも、早寝早起きをした方が良いのは、子どもでも分かることです。ただ、それが「正しいかどうか」ということと「正しいからそうしなければならない」ということは別です。人には正しくないことをする権利もあり、（周囲から見たら）本人が不幸になるような選択をする権利すらあるのです。

とはいえ、どの子どもも自分が幸せになる方法を精一杯に探し出そうとしています。何度も失敗をしてセンスを磨いていくしかありません。「失敗すると分かっている選択を子どもがすることを見守る勇気」の方が、「子どもが成功する選択をするようにアドバイスする（命令する）」ことよりもずっと大切であるとさえ言えるのです。

置き換えの防衛の例——予防接種をめぐる不安

子どもの予防接種も最近はどんどん種類が増えて複雑になっています。無関心だったり面倒くさがるような親もあれば、医師顔負けに情報を集めていて、自分でプログラムを作って子どもを連れてくるような熱心な親もいます。

このように、予防接種の場面には、親子ともにさまざまな心理的な問題が現れます。親がいろいろな意味で試される時です。


【例】十ヶ月の乳児の母親。ポリオの生ワクチンを接種しようと思っていたが、インターネットで調べてみて、生ワクチンは四百万人に一人程度の割合で麻痺が起こることを知った。そのため、麻痺が起こらないとされる不活化ワクチンを接種させたいと考えた。しかし、現時点では不活化ワクチンは国内では未承認であり、輸入ワクチンを接種してもらうには、遠くの病院まで通って自費で接種しなければならず、接種は合計四回必要とされており、かなりの費用がかかってしまう。それでも命に関わることなので、なんとか不活化ワクチンにしようと考えていた。ところが、ポリオの不活化ワクチンは国内で承認されていないため、なにか副作用が起こっても、法律による救済制度が適用されないということが分かり、どうしたら良いのか分からなくなって診察にやってきた。


子どものことを真剣に心配すればこそ、ここまで悩むのだということは間違いありません。行政がいくら促しても、BCGにすら連れて来ない親もいることと比べると、その違いには天と地ほどの差があります。

とはいえ、この母親の不安が合理的であるかというと、残念ながら、医学的にはそうとは言えないと思われます。

そもそも毎年生まれてくる百万人強の赤ちゃんのうち、三千人前後は一歳までに亡くなってしまいます。千人のうち三人という割合ですが、それでも日本は新生児死亡率が世界で非常に低い国の一つです。

その後も、四歳までにさらに千人程度が亡くなってしまうのです。

このように、他の理由で亡くなってしまう可能性は、生ワクチンで麻痺が起こる可能性の一万倍以上ということになります。おそらく、遠く他府県まで車で四回も通院するのであれば、交通事故で命を落とすことの方が、確率的にはよほど起こりうることと言えるでしょう。

しかし、このような合理的な説明は、この母親のように思い詰めている場合には、なかなか受け容れられません。「それでも生ワクチンより不活化ワクチンが安全なのは絶対に間違いないことなのでしょう?」とか「もしも生ワクチンを接種して万一麻痺が残ることになったら後悔しきれません」などと言われます。

おそらく、この母親のようなケースでは、「育児の不安」や「子どもの将来に関する不安」あるいは「他の問題による母親自身の不安」などが、具体的で扱いやすい「予防接種の不安」に置き換えられているのでしょう。目先の問題に悩むことで、より大きな不安に向き合わずに済んでいるのです。

このように、医師がいくらデータを示して説明しても、それを受けつけることができないほど置き換えの防衛が強固な場合があります。少々厳しい言い方になりますが、これは「悩むことで利益を得ている」「悩みたくて悩んでいる」ということになります。

このようなケースは意外と多いものです。そのような患者さんに出会うと、いわゆる「中庸の徳」と申しますか、予防接種に関しては「決められたものをきちんと受けよう」という程度にとどまっていられるということが、なんと幸せなことであるかと感じてしまいます。
※ 編集部注 ポリオワクチンの定期接種は、二〇一二年九月一日以降、生ワクチンから不活化ワクチンに切り替えられました。

25　自分の思いを相手に映し出す――投影による防衛

自分の中の認めたくないものを他人に映し出す

人はしばしば、自分の中にある「自分では認めがたい感情」や「気がつくと不安になる思い」などを、自分の外にあるもの、すなわち他人（相手）の中にあるものとして、スクリーンのように相手に映し出すことによって不安を避けます。これが「投影《とうえい》」と呼ばれる防衛機制《ぼうえいきせい》です。

この「投影」は、自分の思いを他人の内に認めるということから、自分と他人（相手）の境目が曖昧になっているタイプの防衛機制であり、自他の区別が未分化であるという意味において、未熟な部類の防衛機制に属します。これは、親子の関係においても、とくに子どもと自分の距離がとれていない親に頻発する防衛機制です。

「投影」と「抑圧」の違い

「投影」について説明する時によく使われるのが次のような例です。

【例】　ある男の子が友だちに相談します。「A子は僕のことが好きなんちゃうやろか？　授業中にいつも僕の方を見ている気がする」。相談された友だちは笑って「A子が君をどう思っているかは知らへんけど、君はA子のことが好きやと思うよ。いつもA子の方を見ているよ」と返します。

この例では、男の子はA子という女の子に恋心を抱いています。しかし、そのような思いに気がつくことは、自分を不安にします。そこで、自分の思いを相手の内にあるものとして相手に映し出して感じることで、自分が動揺することを防いでいます。

ちなみに、もしもこれが「抑圧《よくあつ》」という防衛機制であれば、この男の子は、友だちに対して次のように相談するでしょう。「自分でも不思議に思うんやけど、A子の前だとなんでか普通に話せへん。なんかぶっきらぼうになってしまうんや」。もしくは、友だちがこう指摘するかもしれません。「君はA子の前では、他の女の子に言うみたいに冗談を言ったりしないね」。

この場合、男の子は自分の中の思いに気がついていませんが、それを投影の場合のように相手にあるものとはしていません。その代わりに、自分の行動や態度に影響が現れています。

未熟な防衛機制においては、自分と相手、もしくは自分と外の世界との区別が曖昧になります。右の投影の例では、男の子は、自分の思いを相手のものだと感じています。つまり相手と自分の境目が曖昧になっています。

一方、成熟した防衛機制においては、自分の内部に（たとえば、行動や態度、感じ方などに）影響が出てきます。右の抑圧の例では、男の子は、起こっている問題を、一方的に相手に押しつけるのではなく、自分と相手の間にあるものとして意識しています。そういう意味で、「抑圧」は「投影」よりは成熟した防衛機制であると考えることができます。

ただし、こういった「抑圧」と「投影」の分け方といったものは、白か黒かというような明確なものではなく、現実には、白から黒へのグラデーションのように複雑である場合がほとんどです。

親子の関係に現れる投影の例

【例】 四歳児の母親。「高校入試で苦労したくない」と子どもが言うので、と幼稚園受験の準備をはじめた。受験はあくまでも子どもの意志である、と母親は言う。

【例】 五歳児の母親。小学校受験の理由について「中学生の時に安心してクラブ活動に打ち込めるように、高校受験をしなくても良い道を選びたい」と子どもが言ったので、と母親は言う。

はたして四歳や五歳の子どもに高校入試の意味が分かるものでしょうか。そもそも、高校や中学校どころか、まだ小学校にも通っていないのです。学校がどんなものかは、行ってみないと分からないはずです。

こういった「受験はあくまでも子どもの意志」という発言と、「親としては将来を考えてこういう学校に通わせたいと思っている」という発言との間にある大きな隔たりを、しっかり感じてみてください。

幼い頃から受験勉強をさせることについて、私ははっきりと有害であると書いておきたいと思います。

少なくとも、親自身が、「子どもに受験させることは自分たち親の思いによるものなのだ」と理解できているケースと、親が自分の思いを子どもに投影して丸投げしてしまっているケースを比べると、後者の場合の方が大きな問題をはらんでいることは、誰の目にも明らかなはずです。

しかし、そもそもなぜ親は投影という防衛をしなければならないのでしょうか。好意的に解釈するならば、幼い子どもをおだてたり褒めたり叱《しか》ったりしながら、長い時間勉強させるということの問題を、直感的に感じているからこそ、かえってそれを子どもに投影しているのかもしれません。

【例】 高校三年生女子の母親。子どもの進路に関して相談に来た。「この子は人付き合いが苦手なので、資格を取って、あまり人と会わなくても良い仕事についた方が将来的に良いと思っています」。

このケースで、母親の言う資格というのは薬剤師のことでした。おそらく母親のイメージでは、薬剤師というのは薬局の奥でひたすら調剤を続ける姿なのでしょう。けれども、昨今の現場においては、薬剤師はチーム医療の重要なメンバーとしてスタッフの間で意思疎通をしっかりとする必要がある職種です。また、服薬指導などの場面では、病院の中で（時には外で）患者さんとコミュニケーションすることが仕事の重要な部分です。こういうことを、この母親は知らないようでした。

話を本題に戻すと、実は、この母親が語った「人付き合いが苦手」という性格特性は、当の母親にこそあてはまるものでした。子どもの方はむしろ、人とコミュニケーションすることは得意な方であって、実際に友だちも多かったのです。そして、漠然としたものではありましたが、営業のような仕事をしたいと言っていたほどでした。

この章のはじめで、私は投影は未熟な防衛機制であると書きましたが、自分の思いを子どもに投影している親の場合、子どもになんらかの問題が起こった際に、簡単な助言で解決することはまず難しいことでしょう。

そのような場合には、まずは親が自分の思いと子どもの思いを混同してしまっているということを自覚し、そのことを受け容れることによってはじめて解決への道行《みちゆ》きがはじまります。

26　子は親の鏡――だから親の過去を映すこともある

子どもの欠点を許せない

子育てをしていると、多くの親が子どもの欠点を許せないことに悩むものです。しかし、そのような悩みは、子どもの欠点を責めたりからかったりするだけよりは、ずっと救いがあると私は思います。子どもの欠点を許せないことについて悩んでいる親は、子どもの欠点を責めることが望ましいことではないということを認識できている場合が多いものです。この認識があるかないかの差は大きいと思います。

この章で述べることは、子どもの欠点を責めることが問題であること、そして、そのことにどう対応すべきかについて、悩み、考えたことのあるお母さんお父さんに、とくに読んでいただきたいと思います。

子は親の鏡

子は親の鏡ということがよく言われます。そして、時にその鏡は、親の過去を映し出すことがあります。

【例】　忘れ物の多い息子を叱《しか》ってばかりいた父親。「なんでうちの子はこんなに不注意なんだろう」とある時自分の両親に嘆いたら、父親自身が子どもだった頃も忘れ物がひどく「ランドセルを忘れて学校に行ったことさえ何度もあった」と聞かされて驚いたという。

恥ずかしがりの子、人見知りをする子、はしゃぎすぎる子、すぐすねる子、等々、子どもの気質というものは、多分に生まれついてのものであるようです。両親は同じように育てても、兄弟や姉妹で性格は大きく違います。

そして、好ましいものであれ好ましくないものであれ、子どもの持っている性質の多くは、どちらかの親から受け継いでいるものです。それは、声や表情、歩き方や仕草などが親と似ていることと同じように、遺伝的に受け継がれたものです。

ここで興味深いのは、右の例にあるように、親自身が、幼い頃によく叱られたり、注意されたりしたような好ましくない性質を、大人になるとしばしば忘れてしまっているということです。

おそらく、親や先生から注意されたり、友だちにからかわれたりしながら、子どもの頃に頑張って自分の欠点を克服したのでしょう。

そして、そのように、すでにクリアできた問題、苦痛であった辛い過去をいつまでも覚えているということは、ある意味では不健康なことであると言えます。忘れてしまった方が、適応的《てきおうてき》（生きていくために役に立つということ）であると言えるでしょう。

親は子どもに「自分の過去」を暴かれたような気になる

子どもは親の特性を引き継いで生まれてきます。けれども、親が努力して達成したことは、子どもに遺伝では伝わりません。たとえば親が大数学者であっても、子どもは数学の知識まで生まれつき受け継ぐことはできません。

それゆえ、せっかく努力して克服した自分の欠点を、自分の子どもがまざまざと自分に見せつけるように感じてしまうということが起こります。

そして、自分の辛かった過去を強く抑圧している親であればあるほど、それを子どもが暴くことを恐怖し、毛嫌いし、攻撃することになるのです。

【例】　不登校の中学生の母親。面接で子どもの気持ちが分からないということを強調する。「私は学校が楽しくて仕方がなかった。なにも辛いことなどなかった。あんなに楽しいのに、なぜうちの子は学校に行かないのでしょうか？私にはまったく理解できません」。

面接のはじめの一ヶ月ぐらい、強調しすぎるぐらいにこのような発言を続けていた母親でしたが、一年ほど経過したところで、自分の子どもの頃の話が語られはじめました。

彼女の父親は、彼女が幼い頃に亡くなっていました。彼女の母親は、教師をしながら実家に頼らずに彼女を育てていました。彼女は参観日や運動会が苦痛だったと語りました。「小学校の時も中学校の時も、一度も参観に来てもらったことがない。運動会の時は、友だちの家族と一緒にお弁当を食べた。お母さんはいつも一所懸命だったし、そんなことに文句を言ったことはなかったけれど、たぶん自分は本当は辛かったんだと思う。でも、それは頑張って私を育てているお母さんに話せるようなことではなかった」。

このように、過去において封印した自分の欠点や悩みが、何十年かの時を超えて、わが子によって再び思い出されることがあります。

自分の味方であり分身のように思えるわが子が、自分がはるか昔にどこかに隠したはずの過去を掘り出してきて自分に突きつける、そんな不快な気分を、親は味わうことになるのです。

そして、親は、けっして意識的にではないのですが、子どもに見出した、そしてたしかに過去の自分にもあったその欠点を、過剰に攻撃することになるのでしょう。これは子どもにとっては非常に辛いことです。

親がしてやるべきことは先輩としてのやさしい支え

過去において、親は自分の弱点や欠点を、努力の末に克服したり解決したりできたのかもしれません。そして、自分が辛かった時の気分は忘れてしまっています。

けれども、子どもの方は、かつての親と同じように苦しい立場にあるのです。あるカウンセラーは、このようなケースを、「豊胸手術をした母親が、娘の胸が小さいのをからかっているようなものだ」というたとえを用いて巧みに説明していました（あまり良いたとえではないのですが、この問題の核心をついているとは思います）。

同じ苦しみをよく知るものとして、親は子どもを支えてやらねばなりません。もしかしたら親の体験を伝えてもらうことで、子どもは親よりも楽にその困難を乗り越えられるかもしれません。

時を超えた同志として、あるいは人生の先輩として、子どもを支える態度こそが、子どもが最も切実に必要としているものだと私は思います。

27　できたと思って喜ぶとすぐ逆戻り――打ち消しの防衛

自立する嬉しさは親から離れる淋しさとセットである

子どもが自立していく時、親から離れていく時には、親は嬉《うれ》しさと同時に淋しさも感じます。それは子どもも同じです。今までできなかったことができるようになった時、子どもは、そのことが得意であると同時に、親から離れていく淋しさを感じるのです。

それでは、実際のところ、それはどのような現れ方をするのでしょうか。次のような例はその典型的なものです。

【例】　三歳の男の子。ある夜、はじめてトイレでうんちができた。家族みんなに褒められた。しかし、そのすぐ後に居間でおしっこを漏らした。周囲が驚いていると、今度は床にできたおしっこの水たまりで足踏みをしてそこらじゅうにまき散らした。

やんちゃな子の育児で、親はよくこのような理解不能な行動に悩まされます。子どもは、上手にできて褒められたばかりなのに、次の瞬間になぜこんな親を困らせるようなことをするのでしょうか。

もしも子どもが自分の内心を上手《うま》く語れたら「なぜか分からないけどやってしまうの」と言うかもしれません。ならば、無意識が子どもにこのような行動をとらせるのはなぜでしょう。

次のように説明することができるかもしれません。トイレでうんちができた、オムツが取れた。それを大喜びする母親の姿は、子どもを得意な気持ちにさせますが、同時に、「もうお母さんは僕のことをかまってくれないかもしれない」という「見捨てられ不安」を引き起こします。

そして、そのような不安を打ち消すような行動が現れるのです。「僕はまだまだ手がかかるよ、僕のことを見ていないとだめだよ」ということを、子どもは行動で示すのです。

16章でも説明したことですが、子どもが自立していこうとする時というのは、親から離れる淋しさも強く感じるので、子どもは何度も親の愛情を確認しようとするのだと考えられます。このような時こそ、親が子どもに愛情を示すチャンスです。子どもの、親の愛情を確認する行動（振り返ったら、いつも見てくれている、いつでもそこに帰れる）を、親がやさしく受け止めてやることこそ、子どもの自立への不安を消し、結局子どもを早く自立させることにつながると思います。

子どもが成長すると親も淋しい

子どもが自立を示すような達成をした時、淋しい思いからそれを打ち消すような行動を親がしてしまうこともしばしばあります。

【例】　息子がマラソン大会で上位入賞した。その報告を聞いて、父親はこう言った。「よく頑張ったな。これで勉強がもうちょっとできたら、もう言うことないな」。

【例】母親が用事で帰りが遅くなる夜、娘が自分から夕食の準備をした。「意外と美味《おい》しかった」「お姉ちゃん、やるなぁ！」など父親や弟が娘のことを褒めた。母親も笑顔でこう言った。「こんなに料理できるってお母さん知らなかったわぁ。あとはお鍋や道具の片付けもできたら文句なしよ」。

子どもにしてみたら、せっかく良い成績をとったり手伝いを頑張ったりしたのに、親が余計なことを言ったことで間違いなく気分を悪くするでしょう。

しかし、親はけっして、わざとこのような余計な一言を発して子どもをがっかりさせてやろうとしているのではないのです。子どもが自立につながることを達成して自分から離れていく、その淋しさを打ち消すように「あなたにはまだ足りないことがある」と声に出して確認してしまっているのです。

【例】高校生の男の子の母親。身内の結婚式で遠くに住んでいる親戚たちと久しぶりに会った。「○○くん（男の子の名前）大きくなったわね！　この前会った時はまだ子どもって感じだったけど、もうすっかり好青年ね」などと息子のことを褒められた。そこで母親は「体だけは大きくなったけど、まだまだ本当に子どもで。この前だってね……」と息子の失敗の話をはじめた。

これもまたよく見かける場面です。表面的には、この母親は子どもが褒められて謙遜《けんそん》しているととられることでしょう。しかし、おそらくいくらかの割合で、母親の心に浮かんだ不安（まもなく子どもは自分から離れていくということの淋しさ）を打ち消すために、子どもがまだまだ幼いのだということを確認するように、このような言葉が出ていると考えるべきでしょう。

子どもが他人から褒められた時に、なぜか子どもの過去の失敗や至らないところについて話したくなったら、「もしかしたら自分は子どもの成長や達成を認めたくないと感じているのかも？」と、自問することをおすすめします。子どもだって、得意なだけではなく、淋しいのですから。

成長する子どもの側にも葛藤がある

【例】　小学生のサッカー大会にて。試合後に優秀選手として表彰されたAくん。表彰式のあとでもらったメダルをコーチに見せながら次のように言った。「なんか僕、これもらった後、その場で地面に叩きつけたくなった。なんでそう思ったか分からんけど」。

子どもはいつでも親を喜ばせようと思っています。しかし、成長するにしたがい、次第にそのような自分を嫌悪する気持ちも生まれてきます。それは、10章の中の二次反抗期の項（「第4の別れ――「二次反抗期」」）でも説明したことですが、子どもが親から自立していく時に、自分の価値観は親のものとは違うということを確認する態度に関係するものと考えられます。

親や先生から褒められるようなことをした時、そして実際に褒められた時、子どもの中には誇らしい気持ちも生まれますが、同時にそのようなことを誇らしく感じた自分を嫌悪する気持ちも生まれるのです。

おそらく、右の例のAくんがメダルを地面に叩きつけたくなるような気持ちは、自分の心の中の、そのような抑え込まれた不快感と関係しているはずです。

ですから、子どもがそれを表現した時に、この子は今親からの自立の途上にあって戦っているのだと、やさしく見守ってやるべきでしょう。

ちなみに、子どもの間においては、これと同じような理由によるいじめもしばしば起こります。小学校高学年にもなってくると、親や先生の言うことをよく聞く子、いわゆる優等生は仲間からからかわれることが増えてきます。この頃、子どもたちは、自分の中にある良い子の部分を嫌悪しはじめています。その認めたくない特性を、優等生の子どもに投影《とうえい》して、その部分をあからさまに攻撃するようになります。

このような行動や感じ方も、ある意味では子どもが順調に成長しているからこそ現れてくるものです。ありきたりなお説教をするのではなく、彼らの葛藤を親として意識して、やさしく接してやりたいものです。

保育園ではできるのに家ではできない

わが家の四男が五歳になったばかりの頃のことです。保育園の行事で、半日親が子どもたちと一緒に過ごして、子どもたちの保育園での生活ぶりを見せてもらうという機会がありました。

私も子どもたちに混じって一緒に給食を食べました。他の子と同じように、彼もちゃんと食器を並べていただきますをして、ごちそうさまをするとそれを片付けて歯も磨いていました。

まず私はその姿に驚きました。というのも、四男が食器を並べたり片付けたりする姿など家ではまったく見たことがなかったからです。

そして、もっと驚いたのは、給食のおかずのサラダを、彼が普通に食べていたことでした。うすい味付けのキャベツやキュウリを、美味しそうに普通に食べていました。先生に聞くと、その日だけ特別というのではなく、毎日残さず食べているとのことです。なぜそんなに驚いたかというと、四男は家ではほとんど一切野菜を食べないのです。家に帰ってから四男にそのことを話すと、「保育園では野菜も食べられるんや」と言いました。

野菜を食べないだけではありません。四男は家ではわがまま放題です。トランプやベイブレードなどで兄たちや私と遊んでも、絶対自分が勝たないと許せません。ずるいことをしてでも、自分が勝つようにします。もしも負けたら泣いたり怒ったり大騒ぎです。少しでも負けそうになったら、ジェンガはひっくり返すし神経衰弱のカードは踏みにじります。しかし、保育園では、おだやかに仲間と普通に遊んでいたのです。

保育園ではできるのに、なぜ家ではできないのか。もしかすると、保育園での彼はかなり頑張って得意でないこともやっているのかもしれません。野菜も好きではないけれど、他の子や先生の手前もあって頑張って食べているのかもしれません。正確に言うならば、そういう状況では身体が（口が）受け付けるのでしょう。おそらく、本当はしたくないことや苦手なことをかなり無理してやっているのです。

そして、そのバランスをとるかのように、家では食べたくないものは絶対に食べないし、兄たちとの関係でも譲らないのでしょう。

打ち消しの防衛は、通常「なんらかの行為の後で罪悪感や恥辱を感じた場合、それとは反対の行為を後から行って、不快な感情を取り去ろうとすること」などと説明されます。保育園ではルールを守って遊び、野菜も残さず食べている子どもも、恥辱ほどではないにせよ、「思いに反して無理して頑張って苦しかった」その苦しさを打ち消すために、家では自分の思いを通しているのかもしれません。ベストな方法ではないけれども、彼なりに心のバランスをとっているのでしょう。

「保育園では食べられるのだから家でも食べなさい」というように表面的に接することは、頑張っている彼の努力を台無しにしてしまうことになりかねないと私は観念しました。

子どもを信じるということは、やがて別の方法で心のバランスをとれるようになっていくだろうと信じることです。そして、子どものペースで子どもが世界と向き合っていくことを、なるべく邪魔しないということです。

今、無理に食べさせて栄養のバランスを得ることよりも、食べたいかどうかを自分で決める子どもの自主性を大事にすることの方が、長い目で見るとずっと大切だと私は思います。

いやなものでも食べられることよりも、いやなものをいやと言えることや、その希望が聞き入れられる体験を積むことの方が、子どもには重要だと私は考えているのです。

28　なんでも思い通りになるという感覚――万能感による防衛

万能感――幼い時には誰でも感じていたもの

万能感《ばんのうかん》という防衛機制《ぼうえいきせい》があります。なんでもすべて自分の思い通りになるという感覚は、困難な状況から引き起こされる不安を感じないようにしてくれます。

発達の初期の頃は、誰でもこの防衛機制を使っているとされます。赤ん坊は、生後数ヶ月ぐらいまでは、お腹が空くとすぐにおっぱいがもらえます。オムツがぬれて気持ち悪くなるとすぐにオムツを替えてもらえます。意識して万能感を勝ち取っているわけではありませんが、すべての欲求が満たされている状態です。

マックウィリアムズはその著書『パーソナリティ障害の診断と治療』の中で、このような時期をきちんと過ごしていることが、人が生きていくための基本的な安全感（自分は生きていて良いのだという感覚）のもとになると述べています。

この万能感による防衛は、年齢がもう少し上になってくると、本人にも意識されるようになってきます。大人が、なにかの困難に直面して、たとえ合理的な根拠がなくても、自分がちゃんとすれば困難は乗り越えられるのだという感覚を持つ、たとえば願掛けをするような場合が、それにあたります。

以下に、かつての私のゼミ生であるAくんの話を紹介します。

【例】大学生男子Aくん。よく勉強もする真面目な学生であるが、朝起きるのが非常に苦手で、一時間目の授業やゼミはいつも遅刻してやってくるのが常だった。ところがある日を境にまったく遅刻がなくなった。理由を聞いてみたところ、彼は「交際中の女性がある病気で手術をすることになり入院している。一ヶ月後に手術を受けて、順調にいけばさらに一ヶ月すれば退院できる予定である。自分はなにもしてあげられないのが悔しい。もしも苦手な早起きをずっと続けられたら、手術が上手《うま》くいくような気がして、だから早起きを続けている」と真剣な表情で話した。

Aくんのように、なにか困難な状況に置かれた時に、自分が苦手なことをあえてやって幸運を祈る（願を掛ける）というのは、よく見聞きする話です。

このような態度や行為もまた、万能感の一つの現れ方です。自分がコントロールできるなにかをすることによって、事態を良い方向に持っていけると思うこと（制御可能であるという感覚を持つこと）は、自分にはなにもできることはない、運を天に任せるしかないと感じることよりも、本人の気持ちを楽にします。

さらに例を出すならば、千羽鶴を折る時の気持ちのあり方も、これに似たものかもしれません。たとえ鶴を折ったところで、合理的にはなにかが変わるわけではありません。しかし、精魂込めて鶴を祈りながら時間を使って手仕事をすることで、なにがしかの安心感が得られるのです。

また、マックウィリアムズの説明によれば、子どもがなんでも自分のせいだと思い込むような傾向も、この万能感による防衛に関係があると言います。

たとえば事故で母親を亡くした子どもが、自分が良い子にしていなかったからお母さんが死んでしまったのだと考えるような場合がそれにあたります。

自分のせいだと考える、すなわち自分が事態を変えうる力を持っていると考えること。このような考え方を持つことは、いったいなんの役に立つのでしょうか。

それは、たとえ自分がなにをしようがしまいが、不幸なことが起こってしまうと考えるよりも、自分のせいでそれが起こる（自分に制御権がある）と考える方が、ある意味では気分が楽になるからだとマックウィリアムズは説明しています。

子どもの万能感とどうつきあっていくか

自分はなんでもできると思う気持ちは、幼い子どもにとっては非常に大切なものです。これを感じるには、少し想像力が必要です。

たとえば、大人である自分が四歳の子どもになってしまったとします。そうすると、自分一人ではどこにも行けずなにも作れず、やりたいことはみな他人任せという、か弱く頼りない存在になってしまいます。大人の心のままでいたら、すぐに絶望してしまうでしょう。

ところが実際の四歳の子どもは、たいへん前向きで、驚くほど楽観的です。欲しいものはなんでも手に入ると思っているし、自分の身の上には必ずなにか良いことが起こるといつも感じているように見えます。無力な子どもを支えているのは、このような根拠のない楽観性であると言えるでしょう。

この楽観性の重要な供給源になっているのが万能感です。しかし、親としては、子どもの万能感につきあわされるのは簡単なことではありません。わが家でも次のようなことがありました。

夏休みのある日、三男と四男（当時、十二歳と四歳）を連れて、近所のショッピングモールに買い物に行きました。夏祭りをやっていて、買い物をしたら金魚すくいの券を数枚もらいました。

四男は金魚すくいをするのがはじめてでした。兄や他の子どもたちが器用に金魚を捕まえているのに、四男は立て続けにポイ（枠に紙が貼ってあるあれです）を破ってしまいます。最後の二、三枚ははじめから泣きながら乱暴に水の中に突っ込み、「テル（自分の名前）にはすくえないやんか〜!!」と走って遠くに行ってしまいました。兄がすくった金魚をあげるよと言っても、もちろん彼は受け付けません。金魚のプールにはじめて向き合って、ポイを渡された喜びの絶頂の瞬間から、悲しみのどん底に突き落とされて、ただ泣くばかりでした。

心理学においては、四歳の頃の万能感の縮小というのは、一つの大事なテーマとされます。成長の途中では大切な役割を果たしていた万能感ですが、現実に触れていくにつれて、別のより成熟した防衛機制に切り替わっていく必要があります。

そのためには、子どもが主体的に行動し、失敗して、その体験を積み上げていくことが重要です。この時、親に求められることは、子どもがチャレンジすることを邪魔しないことであり、本人が残念に思うような失敗をあえて味わわせることです。そして、傷ついた子どもをはげまして支えてやることです。そうしていくうちに、子どもの中により良いものが生まれてくると信じるのです。

41章（「子どもは「嬉しい」や「悲しい」をどう学ぶのか」）でも説明しますが、このような悔しい体験をした時こそが、「悔しかったね」「残念だったね」と、親が子どもに声をかけて寄り添ってやるチャンスです。最終的には、理屈を超えて子どもは現実を受け容れます。そのために泣いたり地団駄を踏んだりするかもしれませんが、彼らはそうすることによって、自分はなんでもできるという、これまでの万能感が壊れていく痛みを受け容れようとするのです。

ここでありがちな失敗は、親が現実を歪めることで、子どもの万能感が、正しく小さくなっていこうとしているのを、押しとどめようとすることです。

たとえば先の金魚すくいの例であれば、破れないポイを子どもに渡してやるとか、弱った金魚を準備して子どもに「偽の」成功を味わわせるようなやり方です（現実の加工）。こういう時の親は、子どもの気持ちに共感するあまり、子どもが失敗してがっかりすることを、わがことのように怖れてしまっています。

成功することよりも大事なことがある

「成功すること」よりも「失敗してもまた生きていこう（またチャレンジするか道を変えるかしよう）と思うこと」の方が、子どもにとってはずっと大事です。

悲しむ孫を見ていられない祖父母などは、右の金魚すくいのような場面で「楽しむためのものなのに、辛い思いだけしてしまってかわいそうだ」というような感想を持ちやすいようです（わが家の場合はそうでした）。

しかし、そうではないのです。まさにこういう体験（やりたいと思って積極的に行動して、結果が期待したものではなかったという体験）をするために、子どもは遊びに出ていると考えても良いほどです。子どもの悲しむ姿に惑わされず、彼らのチャレンジする心をやさしく支えてあげましょう。

29　責められるより責める方が楽――攻撃者への同一化

攻撃する側に立つことで心を楽にする

攻撃者への同一化という防衛機制《ぼうえいきせい》も、親子の間ではよく問題になります。「同一化」は「取り入れ、取り込み」と同じ意味です。攻撃される側の立場に同一化する（取り入れる）と、責められて苦しいので、攻撃する方の立場に同一化するというものです。

たとえばテレビのお笑い番組で、タレントが罰ゲームでバンジージャンプをさせられる場面を見ているとします。ジャンプすることに怯《おび》えたり騒いだりしているその人を見て大笑いできるのは、攻撃する側＝ジャンプを強要する人たちに共感しているからです。攻撃される側＝落とされる人の立場に共感していたら笑えるはずがありません。これも攻撃者への同一化の例と言えます。

以下は、子どもを連れて出かけていると、時々出会う光景です。

【例】　ドーナツを落とした子どもと叱《しか》った母親。パン屋さんでの出来事。四、五歳ぐらいの男の子が母親に連れられてパン屋に入ってきた。母親がパンを選んでいる間、男の子はうろうろしていたが、手を伸ばしてドーナツを一つ取ろうとした。しかしドーナツの山が崩れて数個が床に落ちてしまった。レジにいた母親と店主が同時にそれに気がついた。その瞬間に母親は「触るなって言ったやろ！　なにやってんの！　コラ！」と大きな声で叫んだ。子どもは固まってしまった。店主は「あ、良いですよ、良いですよ。ボク、大丈夫だった？」ととりなすように言った。最終的に、母親は落ちたドーナツの分を弁償することなく、この店を立ち去った。

子どもの管理は親がすべきなのですから、子どもがドーナツを落としてしまったら、親としては、店主に子どもの粗相《そそう》を詫《わ》びるべきでしょう。子どもを叱《しか》るのはその後でも良いわけです。まずは、発生した事態の被害者に対して、加害者（子どもとその親）が謝らないといけません。

それにもかかわらず、この母親は、害を受けたのはあたかも自分であるかのように、子どもに対して攻撃をしかけることで、加害者の辛い立場（謝らなくてはならない上に、食べられなくなったドーナツの代金を弁償させられる立場）から逃れることに成功しています。

しかし、ほとんどの防衛機制がそうなのですが、防衛という反応は、適切な行動がとれない場合に、無意識に現れて本人の心を守るものであって、ベストな方法ではないことが多いのです。この例の場合も、とっさの対応とはいえ、この母親への社会的な評価は下がってしまいます。

【例】　中学生の男の子。長いこと乗っていた自転車を盗まれたので新しい自転車を買ってもらった。母親としては安い自転車にするつもりだったが、子どもが割と高価なものを欲しがったのでしぶしぶそれにした。盗まれた場合の補償つきの保険は高かったので加入せず、その代わりに鍵を二つかけさせることにした。子どもは、はじめのうちは二つのロックをきちんとかけていたが、数日で面倒くさくなってきて一つしかかけなくなった。そして自転車は盗まれた。子どもは歩いて家に帰ってきて、そのことを母親に告げた。母親は「どうしてちゃんと二つとも鍵をかけなかったの！」と激昂して子どもを叱った。

これもまた、よくある話ですね。たしかに、鍵を二つかけなかったのは子どものミスかもしれませんが、しかし、あくまでも盗んだ犯人が悪いのであって、子どもも被害者なのです。そして、子どものミスを攻撃しても、家全体としての精神的、経済的ダメージは少しも回復しません。

しかし、盗まれたという現実を受け容れて、悲しみを味わうよりは、子どもの非を責める立場に立つことで、この母親もまた、一時的なものであるにせよ、悲しみを味わうことから逃れているのです。

これが攻撃者への同一化、攻撃者の立場になることによって得られる利益です。けれども、これは、現実的には、役に立たないどころか、傷口を拡げることにもなりかねない行為です。

虐待されている子どもに多く見られる防衛機制

最後に、この「攻撃者への同一化」という防衛機制に関しては、今日的なトピックでもあるので、もう少しだけ触れておくことにします。

昨今、しつけと称してひどい体罰を繰り返し、子どもを傷つけたり死なせたりする親の仕業《しわざ》が、連日のように報道されています。そのようなケースにおいて、一時的に児童相談所などに保護された子どもの多くは、体罰の事実を否定したり、しばしば「私が悪いことをするから、私のためにお母さん（お父さん）は私を叩くの」というように、虐待を与えている親をかばうような言い方をしたりします。これもまた、攻撃者への同一化の例です。

通常、幼い子どもは全面的に親の世話にならざるをえません。それゆえ、親の虐待にあっても、逆らうことや逃げ出すことは不可能であることがほとんどです。その意味で、虐待はまさに子どもにとって生命の危機として感じられていることでしょう。

このような時、子どもの心は、恐怖や絶望から逃れるために親の立場を取り入れる（攻撃者に同一化する）ことで自分を守ろうとすることがあります。「暴力をふるう親が悪いのではない」「悪いことをした自分のせいなのだ」「お母さん（お父さん）は自分のために叱ってくれているのだ」と考えることは、絶対的な恐怖や絶望にさらされている状況を少しは楽なものにしてくれるのでしょう。

とても由々《ゆゆ》しき問題ですが、今日の日本社会にあっては、そのような不幸な状況に置かれている子どもの数が、われわれの想像を超えたペースで増えているようです。

30　親が子どもを守るということ

親は子どものために先回りする

私がここで書きたいことは、すでに何度も説明したことです。すなわち「子どもは一人一人その子なりの強さやすばらしさを持っています。それらが上手《うま》く育って個性が発揮されるためにも、不要な干渉をできるだけ控え、子どもの力を信じて支えてあげましょう」ということです。

子どものためにと思って、親はいろいろ先回りして、つい手を出してしまいます。しかし、たいていの場合、そのことが結果的に子どもの成長の機会を奪ってしまうことになりがちです。

それならば、迷わず子どもを信じて、親は見守ることに徹した方が、親子ともに気分的に楽になりますし、親子の関係も良くなります。

注意欠陥・多動性障害（ＡＤＨＤ）の傾向のあったわが家の長男は、たいへんやんちゃな子どもで、家庭でも保育園でもつねに問題児でした。私たち両親は、近所の公立小学校では適応できないのではないかと不安で仕方ありませんでした。

そこで、他府県にある少人数制で特別な教育を行っている小学校に子どもを入学させようと、家族で引っ越すことも含めて準備をしていました。

けれども、長男は保育園の友だちと一緒に近所の小学校に通いたがりました。結局、彼は、希望通り近所の公立小学校に通うことになりました。親の予想は的中し、親子ともども、毎学年、担任の先生からは叱《しか》られ注意され続けましたが、本人は毎日元気に楽しく学校生活を送りました。そして、そのまま公立中学校に進み、やはり先生からはよく注意されていましたが、彼はいつでも楽しそうでした。親である私たちが心配していたよりもずっと彼はタフだったのです。

いじめに備えて準備する親たち

最近では、子どもがいじめに遭《あ》いそうだからという理由で、子どもを近所の公立小学校に通わせないという親も少なからずいるようです。これも、子どもを守ることの一つと言えるでしょう。

【例】 三児の父親。高校生一人、中学生二人の三人の息子がいる。息子三人ともに、小さい頃から空手を習わせている。三人とも真面目に続けており、大会で優勝するなどそれなりに上達している。三人とも中学受験をさせて、家から電車で一時間以上かかる私立の中高一貫校に通わせている。空手を習わせたことと受験をさせたことはともに、父親の方針だった。父親は、高校で背が伸びたが、中学まではたいへん小柄だった。勉強はよくできたしスポーツも得意だったが、中学の時周囲から執拗ないじめに遭った。父親は有名な私立の高校に合格し、地元を離れた。そこでようやく、いじめのない日々を過ごせるようになった。子どもたちが自分のように不条理な暴力を受けることがないように、できるだけのことをしてやりたいというのが、父親の教育方針だという。

空手や少林寺拳法やボクシングなどを小さい頃から子どもに習わせている親は、私の周囲にもたくさんいます。実際に、この父親のような理由で、つまり護身の手段として、子どもに格闘技を習わせるという親も多いようです。

防衛機制《ぼうえいきせい》の視点から見ると、このような育児姿勢は、「準備」の防衛ということになるでしょう。起こるべき問題を予測してそれに備える態度や行動も、防衛機制の一つの現れです。

右の例であれば、自分が公立中学で味わったようないじめが少ない（と父親の予想する）私立中学に子どもを進ませようとする父親の考え方もまた、「準備」の防衛と考えることができます。

このような周到な準備は、子どもを守る行動であり、真剣に子どものことを考えているがゆえの選択であることに、疑いを入れる余地はないでしょう。

しかし、まったく問題がないわけではないと私は考えます。

準備することの問題

それでは、かつて自分がいじめを受けたことから、子どもはそのようなことにならないようにと、親がいろいろと準備をすることの問題はいったいどこにあるでしょうか。

右の例において、父親は、子どもと一体化し、自分の子どもは現実に向き合うと痛めつけられてしまうだろうと考えています。そして、現実からの攻撃に対抗しうるようにと、あらかじめ防御を習わせています。さらに、攻撃が起こりにくい環境を与えるために学校を選んでいます。

これらの配慮や選択は、まさに現実の加工にあたります。まだ現実の困難に出会う前の子どもに、もしも殴られるようなことがあっても、逆に殴り返せる力を身につけて自分を守ることが大事であるということや、学校というところは、場所によっては不条理ないじめがあるものだというような、世界や社会というものに関して、現実的かもしれませんが、ネガティブなメッセージを送ってしまっている可能性があります。

すでに述べたように、子どもは親の遺伝子を受け継いでいる以上、成長の仕方も同じようなパターンになる可能性は十分にあります。しかし、どのような人間に出会うか、それを子どもがどのように体験していくかということに関しては、親と同じになるわけではありません。

右の例では、父と子では時代も地域も変化していますし、この子どもには、子どものことを心配してくれるやさしくて頼もしい父親がついています。

あらかじめ防衛の力をつけさせるという対応は、現実的な選択ではありますが、困難に対して、子ども自身が自分なりの対応の仕方を編み出すことを邪魔してしまうかもしれません。

私は、親が子どものために準備することは問題である、というような、単なる、ことの是非を言いたいのではありません。

私が長男のことを心配して引っ越しや転職まで考えたのも、子どもの生きる力を信じることができていなかったからです。子どもが辛い目に遭うことを、親として見守ったり支えたりする自信や覚悟がなかったのです。

ここでも繰り返しになりますが、子どもを信じることによって、親の姿勢そして子どもの育ち方も大きく変わってくるはずです。さらに言えば、信じるということが、どんな防衛や防御よりもまさるということだって、ありうるのではないでしょうか。

Ⅲ　子どもとのコミュニケーション

31　先に進まない

先に進まない

子どもとの会話を楽しくするとても有効な方法に、「先に進まない」というスタイルがあります。これはカウンセリングを行う際の大切な基本の一つでもあります。すでに述べたように、私はフットサルや少年サッカーの活動に関わっています。練習が終わる頃になると、お子さんを迎えに来られるお母さん同士のおしゃべりや、親子の会話を耳にする機会がたくさんあります。

そのような会話の中で気になるのが、せっかく子どもが話している時に、親が先回りしたり、自分の関心や主張を優先させて話の主導権をとってしまうことが多いということです。

以下、具体的な例を挙げて説明します。

聞き手が主導してしまうというのはどういうことか

以下に紹介するのは、小学二年生の子どもと母親の会話です。

【例】　Aくんが意地悪する話（その1）
子ども：あのな、学校でAくんが意地悪するんや。
母　親：意地悪？　どんな意地悪すんの？
子ども：給食袋取って投げたり、ノートに落書きしたり。
母　親：それで給食袋、時々あんなに汚れてんのか……。なんで「せんといて」って言わないの。
子ども：言ってるけどな、やめへん時があんねん。
母　親：先生には言うたの？　先生が怒ってくれるやろ。
子ども：先生が怒っても、効果ないねん。その時だけや。
母　親：お母さんから先生に言うたろか。
子ども：んー、それはいいわ……。

どこにでもありそうな親子の会話だと思います。この母親は、いい加減に聞いているのではありません。どちらかと言えばかなり真剣に聞こうとしています。けれども、真剣に聞こうとするがゆえに、そして、子どものことに強い関心を持っているがゆえに、子どもよりも先に進んでしまっています。

会話の冒頭の「あのな、学校でAくんが意地悪するんや」という発言を受けて、この母親は「意地悪」という言葉に反応してしまいました。母親が「どんな意地悪か」とたずねたので、子どもは意地悪の説明をさせられてしまっています。子どもの話が、母親の関心に引っ張られて、進んでいってしまっています。聞き手主導とはこういうことをさしています。

たしかに、子どもが意地悪されているというのは、とても由々《ゆゆ》しき事態です。親として、それは聞き捨てならないのも、もっともなことです。しかし、意地悪されていることや、どんな意地悪をされているのかを本当に話したいとすれば、子どもは、そのことについて自分から話をするはずです。

ここは親としての不安な気持ちは抑えて、それよりも、子どもがなにを話そうとしているのか、もうちょっとだけ我慢して、子どもの話が進むのを待つことが求められているのです。

5W1Hを使いたくなったら注意！

聞き手主導にならずに、子どもの話を上手に聞くために実践しやすいコツを紹介します。

それは、とりあえず、いつ？　どこで？　誰が？　なにを？　どうした？　どのように？　といった、いわゆる5W1Hの言葉を、できるだけ使わないように意識することです。

これは普通の会話とは大分異なる姿勢が求められますので、はじめはなかなか難しいかもしれません。相手の話をちゃんと聞こうとすればするほど、「いつ？」とか「どんな？」などの言葉が自然に出てきてしまうものです。しかし、ゲームを楽しむように、相手との会話の中で、自分が発しようとする言葉をしばらく意識していると、だんだんとできるようになります。

たとえば、「今日、サッカーをしたよ」と言われると、聞き手としては「へえ、どこで？」とか「誰とサッカーしたの？」のように言葉を返すのは、普通の会話ではよくあることです。しかし、話し手がまだ話していないことを、聞き手があえてたずねなくても、話は進んでいくものです。

ちなみに、聞き漏らしたことや意味の分からないことについて、それを確認するのはかまいません。たとえば子どもが「今日、サッカーをしたよ」と言った場合に、「サッカー」という言葉を聞き漏らして、「え？　今日、何をしたって？」とたずねるのはかまいません。これは先に進んでいることにはなりません。君の話をちゃんと聞こうとしているよ、というメッセージになるでしょう。

事実をやりとりするよりも、思いを伝えあう

私の指導したある研修生は「具体的にどんなことがあったのですか？」と質問するクセがありました。たとえば、クライエントが「私は仕事で失敗ばかりして、今週は落ち込んでいます」と言ったら、その研修生は「どんな失敗をされたのですか？　具体的に話してもらって良いですか？」のように返してしまうのです。

ビジネスでの取引やニュース報道などにおいては、「事実がどうであったか」を伝えること、受け取ることが大事でしょう。

しかし、カウンセリングでは、聞き手には「話し手はどう感じているのか」に焦点を当てていくことが求められるのです。「どんな失敗をしたか」よりも、その結果として話し手が「落ち込んでいる」こと、そちらに関心を向けるべきなのです。

親子の会話でも、子どもが話している時に、なにがあったのか、ということよりも、子どもはどう感じているのか、に関心を向ける練習をすることで、会話の感じが変わってきます。

話し手が主導すると会話はどのようなものになるか

それでは、先ほどの親子の会話で、もしも母親が先に進まなかったら、つまり、自分の関心で子どもの話を引っ張ってしまうことなく、話し手主導で話が進んだら、どのような展開になるでしょうか。

【例】　Aくんが意地悪する話（その2）

子ども：あのな、学校でAくんが意地悪するんや。

母　親：へーえ。

子ども：Aくんって知ってるやろ、お兄ちゃんがいて。

母　親：うん、知ってるで。

子ども：いっつも悪いことして、先生に叱《しか》られてんねん。

母　親：（どんな悪いことしてるの？　とは聞かず）ふーん（関心を示して）。

子ども：でも、なんかな、Aくんてすごいねんで。叱られても、すぐにその後で先生にギャグ言ったりすんねんで。

母　親：（どんなギャグ？　とは聞かずに）へえ！（子どもの笑顔に合わせて、笑顔になって）

子ども：今日もな、国語の時な、Aくんが手挙げてな、それで全然スカなこと答えはったんやけどな、みんなが笑っても、Aくん平気やってん。僕やったらあんなことあったら、しばらく教室入られへんわ。

母　親：Aくんって面白い子なんやねぇ。

子ども：そうや、おもろい子やで。この前もな……。

とまあ、こんな具合になったりするのです。冒頭に示した例とは、話の展開がまったく違うものになっていることが、よくお分かりいただけると思います。

最後に母親は、「Aくんって面白い子なんやねぇ」と自分がどう感じたかを子どもに伝えています。このような言葉は、2章でも説明した「指示や命令の言葉ではなく、思いや考えを伝える言葉を使いましょう」という姿勢の、一つの例でもあります。

おそらくこの子どもは、「Aくんが今日学校で授業中面白いことを言った」ということを、なにかの拍子に、ふと思い出したのでしょう。そしてそれを母親に話そうとしました。しかし、はじめに出てきた言葉は、「Aくんが意地悪するんや」だったのです。

不思議に思われるかもしれませんが、子どもは、自分がなにを話すつもりであるか、話しはじめた時には気がついていないことも多いのです。

先に進まず聞いてもらえると「話したいこと」に近づける

実は、これは大人にもあてはまります。カウンセラーに話を聞いてもらうことで、自分では気づいていなかった自分の思いを知ることができるのもこのためです。

人は、思い出したくないことや考えたくないことを、他人に対してだけでなく、自分に対しても隠そうとします。しかし、完全に隠すことはできないので、なんとなく心の奥でくすぶっています。そして、気持ちを不安にさせます。

そういう時に、先を急がせず、じっくりと話を聞いてくれる誰かが側にいてくれることで、暗がりを二人で手探りで進むように、怖くて避けていたものに近づくことができるのです。

聞いてもらえたという体験の大切さ

この例のように、子どもの方から話をしてくれる、ということ自体、実はたいへん貴重な機会だと親は知るべきだと思います。「聞いてくれる」と思うから、子どもは話しかけるのです。子どもが自分を信頼して話してくれている、という状況を楽しみ味わうつもりで、ゆったりと子どもの話が進んでいくのを待ちましょう。

親が自分の話をちゃんと聞いてくれた、ということは、子どもにとって大きな満足となるでしょう。そして、聞いてもらいながら話していくことによって、自分が本当に話したかったこと（子ども自身もそれとは気がついていなかったこと）にたどり着くという、貴重な体験を積むことができるでしょう。

講演などでこのような話をすると、「忙しい時にゆっくり話なんて聞いていられない」というような感想を書く親もたくさんおられます。しかし、たいていの場合、小さな子どもでも、親の様子をよく見ているものです。そして、「今なら話しかけても良さそうかな」というようなタイミングを、彼らなりに一所懸命に見計らって話しかけてくるものです。

「○○をして欲しい」とか「××をしても良いか」といったような、要求を伝えたり、許可を求めるような話しかけではなく、子どもが自分の考えや思いを伝えてくるような場合はとくにそうです。子どもから話しかけがあった時は、そのことを是非意識してみてください。そのような話しかけは育児の中の宝物のようなものだと私は思います。

聞いてもらうことの持つ大きな力

ところで、子どもを学校や幼稚園に通わせはじめた親というのは、いろいろな不安を感じるものです。かつてなら、祖父母や両親、親戚や近所の人に相談したり聞いてもらえたようなことが、今は話す相手も見つからないという人も多いのです。

【例】幼稚園児の母親。「私はもともとが心配性です。幼稚園に通い出した長男は、園での出来事をいろいろと話してくれますが、「△△くんが嫌なこと言うの」とか「□□くんが叩く」とか、子どもが辛かったことを話してくると不安になって、普通でいられなくなります。そのたびに先生に相談していては変な親と思われるかもしれないと思うと、そのことでもまた不安になります。いったい、子どもの問題を、どうしてやればいいのでしょうか?」

この例の母親のような悩みは、おそらくたくさんの親が持っていることでしょう。

「友だちが嫌なことを言うの」と子どもが言ったのに対して、「じゃあ言い返してやったら!」とか「そんな子と遊ぶのをやめたらどう?」といったように、すぐに指示の言葉で返すと、親自身は悩まなくて済むかもしれません。しかし、子どもの辛さは放置されたままです。

悲しかったことや辛かったことを言葉にして、親に話そうとしている子どもは、幼いながらに「聞いてもらうこと」の力を分かっています。辛かったこと、嫌な思いをしたことを思い出して、それを言葉にする、そして、それを信頼している人に聞いてもらうだけで、傷はかなり癒されるということを知っているのです。

話を聞かされる親の方は、子どもの感じた辛さを受け取ってしまうので、子どもと同じように不安になってしまうかもしれません。しかし、その辛さを受け取っただけで、問題自体は解決しなくても、子どもの気持ちはぐっと楽になるものなのです。そう信じながら子どもの話を聞いてみると、親も不安にならずに済むはずです。

本当にそんなことがあるのか、なかなか信じられないかもしれません。まずは、子どもを信じて話をきちんと聞いてみましょう。その時、子どもはどんな感じになるでしょうか。あなたはどんな気分になったでしょうか。それを是非味わってみてください。

アドバイスが欲しいんじゃない、聞いて欲しいだけ

ただし、先ほども書きましたが、では親の話は誰がじっくり聞いてくれるのでしょうか。これはまた別の大きな問題だと私は思います。ある女性の同僚は心配事などがあっても、夫に話をすることはないと言います。その理由は、彼女が夫に話をはじめると、夫はすぐにアドバイスを返してくれるからだ、というのです。たとえば「今日、PTAの役員会で、こんなことを言う人がいて困ったの……」と夫に話すと、すぐに「だったらその人には別の仕事をしてもらったらいいのでは?」というふうに、すぐにアドバイスが返ってくるというのです。彼女はアドバイスが欲しいのではなく、話を聞いて欲しいだけなのです。

ただこうは言いながらも、私も同じ男性として、夫君の気持ちはよく分かります。相談をうだうだと聞いているよりも、さっと解決して切り上げたいのです。疲れて帰った夜などはとくに……。

子どもの話を聞く喜び

ここで書いたようなことについては、ボランティアで主宰している遊びサークルにおいて、子どもたちから教えてもらったことも大きいように思います。

子どもたちのフットサルは、三チームに分けて順番に対戦していきますので、一チームはいつも休みです。私はずっと端っこで座って審判をしているのですが、休んでいる子どもがいろいろ話をしてくれるのです。毎週四時間、十年近く、ずっと子どもの話を聞かせてもらっていることになります。

子どもよりも「先に進まない」という、この章で紹介したことだけではありません。秘密を守ること（他の子や、その子の親に話を漏らさない）、評価をしないこと（「それは良かったね」とか「もっと頑張らないとね」などの言葉は返さない）といったことの大切さも、実地で学ばせてもらいました。これらは、カウンセリングの基本とまったく同じです。

また、どの子どもも、大人と少しも変わらない自尊心を持って、彼らなりに一所懸命に生きているのだなと、いつも思わずにはおれません。そして、自分の子どもたちだって、親から見たら頼りなさそうに見えるけれど、同じように高いプライドを持って一所懸命に生きている一人の子どもなのだと、親としての原点に立ち返らせてもらったりもします。

卒業してから、中学や高校、大学生になっても、ふらっとのぞきに来て、話をしていく子も時々います。彼らが聞かせてくれた何千の話は私の大切な宝物です。

32　小言を控える

子どもの頃のことを思い出してみる

この本を読んで、自分も子どもとの接し方を変えてみようと思われた方がおられるようでしたら、まず、「〇〇しなさい」とか「××してはダメ」といった指示や禁止の言葉をできるだけ控えてみる、ということから実践してみることをおすすめします。

とはいえ、小言をまったく言ってはならない、というところから入るのではなく、子どもに声をかけようとしたり、子どもから話しかけられたりした時に、自分が今から発しようとしている言葉を意識してみる、ということからはじめるのが良いでしょう。

もしも、その言葉のほとんどが指示や禁止の言葉であるとすれば、子どもにとって親と話すことは、楽しくないことだと感じられている可能性が高いでしょう。

楽しかろうが楽しくなかろうが、子どもを少しでも良い方に導くのは親の役目である、と思っておられる方は、自分がまだ子どもだった頃のことを思い出してみてください。そして、親があなたに言ってくれた言葉は「自分の間違いを正してくれるありがたい言葉」だったか、それとも「いつも分かりきっているうんざりするような言葉」だったか。

小言は癖になる

小言は癖になります。小言の癖がついている親は、子どもの一挙手一投足を逐一《ちくいち》監視して、垂れ流すように小言を言ってしまいます。次のような例を見られたことがないでしょうか。

【例】 五歳の女の子の母親。夫や子どもと一緒に夫の実家に滞在中のこと。食事の場面で。「ほらよそ見しないで食べなさい」「左手はどこに行ってるの」「袖がスープにつきそうよ」「お口の中に食べ物があるのにおしゃべりしないの」「あんたはすぐこぼすんだから」「サラダも残さず食べなさいよ」「ジュースはダメよ、お腹が一杯になっちゃうから」……。

この母親は、向かいに座った子どもをほとんどずっと凝視して、子どもの動作や行動のほとんどすべてに小言を言い続けていました。おそらく夫の実家にいるという（いわばアウェーの）緊張状態から、責められるよりは責める側にまわった方がまだ気持ちが楽なので、ひとりでに、そのような姿勢になってしまっていたのかもしれません。これは29章で説明した「攻撃者への同一化」の例です。子どもにとっては、さぞかし息が詰まるような時間でしょう。

もう一つ別の例を示します。

【例】 小学生のサッカーのコーチ。試合中、ベンチに座って大声で指示を出し続けている（※以下、子どもの名前はすべて仮名です）。「ヒロト！　今のはパスじゃないやろ！　シュート打たんでどうする⁉」「おい！　リク！　逃げるなよ！　怖がってるから抜かれるんやろ!?」「リョウタ！　今のプレー、なにがしたかったの?」「クリアー！　おい！　リサ！　今のはダイレクトでクリアやろ！」「ハヤト！　自分で考えてみろ！　どうしたら良い？　どうしたら良かった？」……。

このコーチは、ボールの行く先々で、プレーに関わる子どもに次々と指示（私には愚痴にしか聞こえませんでしたが）を出し続けていました。押され気味の試合だったので、ほとんどが子どもへの小言でした。まさに垂れ流しの状態で、自分の中になにも留めず、浮かんだ言葉が口からだらだらと外に出ていました。

そもそも、「自分で考えてみろ！　どうしたら良い？」などというような言葉は、まったく不要な言葉です。なぜなら、自分で考えろと言いつつ、命令しているからです。

子どもに自分で考えさせるには、コーチは黙っておくしかないはずです。自分で考えてみろ！　と指示されて考えたら、それは自分でではなく、命令されて考えたことになるのですから。

そんなことを言わなくても、子どもは自分なりに考えているのです。大人が思っているよりも、子どもは試合をずっと大切に考えています。

良いコーチというのは、無駄な言葉はかけないものです。コーチが言葉を押しとどめることで、子どもは自分で考えるようになります。これも、子どもを信じている態度の一つだと私は思います。言葉を大切に使うコーチの言うことは、子どもも実によく聞くものです。

指示をしていないように見える指示――「○○しても良いし、○○しなくても良いし」

ところで、指示の言葉というのは、たとえば「宿題をしなさい」とか「野菜も食べなさい」とか、なんらかの行為をうながすような、明示的なものだけではありません。

親自身がそれとは気がつかずに、指示や命令をしてしまっていることもあります。その代表的なものが「○○しても良いし、○○しなくても良いし」というものです。

【例】不登校の女子高校生の母親。娘に「疲れているんやったら休んだら良いし、行きたかったら行ったら良いよ」「行っても良いし行かなくても良いし、あなたの好きなようにしたら良いのよ」などと声をかけている。

親にしてみれば、指示はしていないつもりなのです。けれども、子どもは指示されているように感じます。だって、本当に好きなようにして良いのなら、なにも言わなければ良いのです。

それまで小言を言われ続けて親の顔色を読む癖がついているような子どもなら、「好きなようにしたら良いのよ」なんて言われたって、そんなことよりもなによりも、自分がどうすることを親は望んでいるのか、必死になって読み取ろうとするでしょう。そして、「○○しても良いよ、○○しなくても良いよ」のうち、親が望んでいる方を探り当てて、そちらに従おうとするかもしれません。

このような言葉をかけてしまう親の問題は「子どもを信じて待つことができない」という点にあります。「○○しても良いよ、○○しなくても良いよ」という声かけは、「どちらかに決断せよ」という命令です。

子どもに起こる変化を予告しておく理由

親が子どもへの接し方を意識して、指示や禁止の言葉を使わないようにすると、子どもにはいろいろな変化が現れます。大人と違って子どもは柔軟なので、環境が変化した場合の変化もすぐ現れてきます。

ところが、子どものこのような変化に、多くの親は気がつきません。それは、問題となっている子どもの行動そのものが変わることにしか関心が向いていないためです。不登校の相談で来ている場合であれば、子どもが学校に行きはじめないかぎり「子どもはなにも良くなっていない、なにも変わっていない」としか思えず、それ以外のことは目に入らないのです。

そこで、そういう場合は、私は面接であらかじめ「このような変化が起こってきますよ」というように予告しておきます。つまり、ヒントを出しておくのです（子どもに起きてくる変化については34章で説明します）。そうしないと、子どもの変化に気がつかないだけでなく、たとえそれが良い方向への変化であっても、悪くなっているのではないかと不安になったりすることもあるからです。

33　指示しない

過剰な指示は子どもの自発性が育つのを邪魔する

この章では、小言、すなわち指示や命令の言葉を与えすぎることがなぜ良くないのか、そして、それらを使わないようにすると子どもにどのような変化が起こるのか、ということについて、具体例に沿って、より詳しく説明します。

【例】　小学六年生の男の子。夏になり学校での水泳がはじまった。水泳のある日は、朝に体温を測って、体調に問題なしと書き、ハンコを押したカードを持って行かないといけない。カードを忘れると水泳は見学である。母親は毎朝「今日は水泳があるの？」と確認してやっている。そうしないと子どもがカードを出さないからだという。

これはよくある話ですし、子どもが楽しみにしているプールが見学になってしまったら可哀想《かわいそう》だという親心から来るものであるということも理解できます。しかし、毎朝親が確認してやっているかぎり、子どもが自分から「水泳カードを準備しないと！」と意識するようにはなりません。

いつまでも子どもを手放したくないために、子どもが成長して自立していってしまうことを怖れている親は、無意識に子どもにあれこれと指示をして世話をやきます。自分が指示しなくても子どもがやっていけるということは、自分が子どもから捨てられるような気分になることなのです。

最近大学界隈ではよく話題になることですが、大学入学後、どの授業・単位を取るべきかということについて、親から相談の電話がかかってくるということが頻発しています。子どもに任せると大事な科目を選びそこなうので、親が代わりにやってやるというのです。

こういう親は当然レポートや発表の準備なども手伝います。就職活動の情報集めも手伝います。面接対策にも親が関わります。さらには入社式にもついて行きますし、仕事の中身についても親が食い込めるところはないかと探し続けたりします。結婚も不妊治療も出産も育児も、親は出番をうかがっています。けれども、どこかの段階で、子どもを信頼して、親は手を離さなければ、親の出番はずっと続きます。きりがありません。

子どもを信じるというのは、失敗しないことを信じるのではありません。失敗しても子どもは自分で立ち直っていくだろうと信じるのです。

あくまでも家ではくつろげることが重要

【例】 小学四年生の子の母親。塾の個人面談で「朝何時に起こして、なにの勉強をさせたら良いか、帰ってから寝るまでは、どの時間帯になにをさせれば良いのか、一週間全部の曜日の予定表を作って欲しい。私が責任を持ってそのようにやらせますから」と担任の講師に真剣に頼んだ。

子どもが目標の中学に合格できるように、母親も一所懸命になることは理解できます。

ただし、これでは子どもは気持ちが休まる時がありません。ここまで極端ではなくても、家庭でも時間割があるかのように管理されている子どもは、最近は少なくないように思います。私の家に遊びに来ている息子の友だちの中にも「おっちゃん、今、何時ですか？」と、何度もたずねる子がいます。休みの日でも予定がしっかり決まっているようです。家庭はくつろぐところ、外での疲れを癒すところ、というその大切な役割が失われてしまっています。

私は、家ではくつろげることが一番大事だと思います。それがあるからこそ、子どもは学校や塾で、踏ん張るべきところで踏ん張ることができるのだ、ということを、親は忘れてはならないと思います。

親が子どもを褒めることの難しさ

【例】四歳の男の子。自分でシャツを着ようと頑張った。「ママ見て！」と言った。シャツは前後ろになっていた。

ここで、これを見た母親がかける言葉について、三つのパターンを挙げて考えてみましょう。

①「一人でできたね。えらいね。でも絵がある方が前だよ。今度は絵がどっちか見てみようね」と言う。

②「できたね。えらいね」と言う。

③「できたね」とだけ笑顔で言う。

まず、①は、子どもを見て声をかけた後、すぐに改善すべき点を指示しています。親としては、子どもがどんどん良くなるように、子どものためにと思ってかけている言葉です。しかし、子どもにとっては、今できたことそのものを見てもらえた、という感じが乏しくなってしまうでしょう。そして、「そのままではまだダメだ」というメッセージを受け取ってしまうかもしれません。

次に、②は、直接の指示はしていませんが、褒めるという形で評価をしています。褒めることは良いことなのではないかと思う人も多いでしょう。たしかに、褒めると子どもはもっと褒めてもらおうと頑張るので、「親が褒める行動」「親にとって望ましい行動」は増えていくでしょう。

けれども、問題なのは、そういった場合に、子どもが、「自分のしたいこと」よりも「親が望むこと」に敏感になっていくリスクがあるということです。子どもの自発性を伸ばすためには、これはしばしば大きな弊害になります。なぜなら、そういう子どもは親から褒められない行動はしないようになるからです。良い子に育てることを育児の一番の目標にしていると、「褒められない行動をしないこと」の、どこが悪いのかがなかなか理解できません。

①②と比べて、③では、母親は子どもをただ見ています。親の笑顔というものは、親自身の感情の現れであると同時に、子どもの喜びを映しているという要素が大きいものです。これまでも評価と呼ばなくても良いでしょう。これは、子どものことをそのまま受け容れる返し方になっています。

褒めるのではなく、あなたのやったことを見たよ、と伝えてあげるだけで良いと私は考えています。親が親の価値観や判断で導こうとしなくても、いや、むしろ導こうとしたりしない方が、子どもは自分の本当に身につけるべきことを自分のペースで身につけられると、考えられるからです。

褒めることに関して、私がいつも思い浮かべる映画の場面があります。映画『となりのトトロ』の中のカンタが傘を貸してくれる雨宿りの場面です。雨宿りをしながら、四歳のメイちゃんが姉のサツキに「メイ泣かないよ、えらい?」と言います。メイちゃんは本当は泣きたくなっているのです。母親が入院中の状況で、メイちゃんは「えらいね」と周りの大人から褒められながら、いろいろな場面で涙をこらえているのでしょう。一人の親として、私にはぐっとくる場面です。

子どもに泣かれると親が困る状況で、子どもが泣くのを我慢したら、親は助かります。「えらいね」という言葉が出るのも理解できます。他の箇所でも書いていることですが、だから「えらいね」と言ってはいけないということではありません。親は自分が子どもを褒めている時、自分に都合の良い方に子どもを誘導しているかもしれないと、意識しておくことが大切だということが言いたいのです。

そのような意識が持てている状態であれば、親は「泣かないでくれてありがとう」とか「助かったよ」というような感謝の言葉を使えるかもしれません。

良かれと思っての言葉がけが子どもを苦しめることもある

【例】 ある母親。夫と一緒に娘夫婦の新居を訪ねた時のこと。娘は玄関の下駄箱の上に花を活けておいた。母親は「きれいに活けてあるわね。花瓶も素敵。でも下になにか敷いておかないと下駄箱の天板にあとがつくわよ」と言った。娘はそれ以降不機嫌になったが、母親はそのことに気がつかなかった。

この発言は、前項での例で言うと①のタイプの典型例です。この母親には、こうすればもっと良くなるということを子どもに助言してやることに、なんの迷いもありません。いつでも子どもが知らないことを教えてやることは子どものためになるし、親である自分の義務であると思っているのです。

しかし、このような発言の根っこには、自立しようとする子どもに対して、その未熟さを確認し指摘してやろうという気持ちが潜んでいて、そのことがずっと娘を苦しめてきたのかもしれません。

とくにこの例のように、娘の新居を訪れるというのは、子どもがパートナーと一緒に新たに作っていく大切な空間、ある意味で神聖な領域に入っていくことであるわけで、自分と子どもの距離を親として強く意識する状況のはずです。それにも関わらず、昔のままの関係であることを、まるで確認するかのように（あたかも、娘の独立をまるで意に介さないかのように）、この母親は助言しています。娘が不機嫌になった最大の理由はここにあると私は思います。

実際には、この場面の後、母親は（当然のことであるかのように）娘夫婦の家の合鍵を渡すように求め、それを拒否した娘との間で口論になりました。母親はなぜ娘が拒否するのか本当に分からなかったそうです。

思春期の子どもの部屋を勝手に掃除したり、子どもの日記や手紙を勝手に読んだりする親にも、私はこの例と同じような問題を感じます。それは、親が自分の子どもを一人の人間として扱い、子どもの個人的な領域に対して敬いの気持ちを持つことが十分にできていないという危うさです。

親から子どもへの助言という一見簡単な話にも、親が子どもとの距離を意識できているかどうか、という重要な親子のテーマが含まれているのです。

【例】　不登校の男子高校生Ａくんの母親。Ａくんの成績は、はじめは一、二番だった。次第に下がってきたが、まだ学年で十番以内に入っている。Ａくんは、第一志望の高校は、わずかの差で不合格だった。今でもその時のミスを悔やんでいるという。二年生になり、テストで思うような成績がとれなかった時、母親に「自分はもう生きていても仕方がないと思う」とぽつりと言った。母親は驚いて「なんてこと言うのよ！　まだまだ先は長いし時間もたっぷりあるんだから、頑張って勉強したらどこでも良い大学に行けるわよ」とはげました。Ａくんはもっと不機嫌な表情になり、なにも言わなくなった。

この例では、母親の言葉がけは、一見すると指示ではないように見えます。テストが思うようにできなかった子どもをはげまそうとやさしい言葉をかけているようにも見えなくもありません。けれども、「頑張って勉強したらどこでも良い大学に行けるわよ」という言葉は、おそらくＡくんには「頑張って勉強をしてどこか良い大学に行きなさい」と聞こえたはずです。そして、そうしないと自分は母親に受け容れてもらえないと感じているかもしれません。

この例のＡくんと母親の関係は、さほど悪くないと思われます。Ａくんの心は母親とある程度のつながりを保っています。そのことは「自分はもう生きていても仕方がないと思う」というような思いを母親に伝えていることからも判断できます。

もしかしたら第一志望の高校に合格できなかったことを、今でも悔やんでいることも、「その高校に合格して親を喜ばすことができなかったことへの謝罪」の意味があるのかもしれません。Ａくんの母親は第一志望の高校に「絶対合格してね」などと言ったことはないかもしれません。しかし、Ａくんはそうすることでしか親に喜んでもらえないと感じていたのではないでしょうか。

多くの子どもが、しばしば自分が受験に成功した喜びを「親を喜ばせることができて嬉《うれ》しい」というような言葉で語ります。それはややもすると「合格しなければ親に受け容れてもらえない」という強迫的な信念になる危険をはらんでいます。

「もう生きていても仕方がない」とつぶやくAくんは、自分は勉強して親を喜ばせることはもうできそうもない、と告白しているのです。この時、親としては「まだまだ頑張れる」といった言葉ではげまそうとするのではなく、「頑張らなくてもどこにも合格しなくても、あなたがいてくれるだけでお母さんやお父さんはなにもいらない」と、はっきりと伝えてあげること、それが子どもを元気にすることができる言葉です。

子どもから話しかけてくれるということの嬉しさ

【例】 保健室登校の女子高校生の母親Bさん。最初の面接で、私はBさんに子どもに対する指示の言葉を控えることを提案した。そして、子どもに対して言おうとしたことを口に出すのではなく、ノートに書き留めるようすすめた。二回目の面接に来た時、Bさんは子どもに対して口にしそうになった言葉をノートにメモしてきた。朝も夜もびっしりと、行動の確認や促しの言葉ばかりだった。それからしばらく、Bさんは意識してこれらの言葉を控えるようにした。それらの言葉を控えることは、Bさんの言葉を借りると「禁断症状が出るほど」困難だったという。はじめのうちは、Bさんが黙っていることが明らかに不自然に感じられて、子どもの方が「いつもみたいに注意してよ！無理して我慢しているのを見てる方がしんどいから」と言うほどであったという。

右のケースで重要なことは、Bさんが面接に自分から来ていることです。そして、こちらのアドバイスをすんなり受け容れて、きちんとノートを書いてきてくれました。

Bさんのように、ある意味で潔い態度がとれる場合は、上手《うま》くいくことが多いのです。それは、事態を改善するために、自分たちの接し方をあらためる覚悟ができているからです。子どもの問題を解決したいと心の底から願っているからです。

自分の子どもの問題を相談に来ているのだから、解決したいと思うのは当たり前ではないか、治療者のアドバイスを実行するのは当たり前ではないか、と思われるかもしれません。

しかし、実際にはBさんのような場合は少数派なのです。これまでの自分たちのやり方では問題が解決しない、ということが分かっているからこそ相談に来たはずなのですが、それまで思ってもみなかったような提案を抵抗なく受け容れられる、というケースは少ないのです。

それは、今までの自分たちのやり方を変えるように言われることが、これまでの自分たちの努力が間違っていたと指摘されているように感じてしまうからでしょう。子どもに問題が起こったのは、学校や友だちのせいではなく、自分たち親の責任だったのか、というような思いにもつながってしまうようです。そのため、1章でも書きましたが、今までのスタイルを変えることにはどうしても抵抗がともなうのでしょう。

【例】（続き）一週間ほどで、Bさんは指示をしないで自然にいられるようになった。すると子どもがテレビを見ながら声を出して笑うようになった。夫がBさんに「あいつは前からあんなにテレビを見て笑う奴だったっけ？」と話したことで、Bさんもそのことに気がついた。このほか、子どもから話しかけてくることが多くなった。それでも少しでも油断するとBさんが返す言葉はすぐに具体的な行動を促すような言葉になってしまう。たとえばある時、子どもが「私も一緒に買い物に行く友だちが欲しいなって思う」と、Bさんにぽつりと言ってきた。それまでは子どもからの話しかけが増えたといっても、なにかを買って欲しいといった要求ばかりだった。それがはじめて子どもが自分の気持ちを語ってくれたので、Bさんはすごく嬉しかった。しかし、心では喜んでいたのに、口をついて出た言葉は「だったら、中学の時の友だちに電話してみたら?」だったと、Bさんは残念そうに面接で話された。

親の近くにいてもなにも命令されないと分かると、子どもは安心します。リラックスすれば、テレビを見て笑い声を上げることもできるようになります。やがて、自分の気持ちを話してくれるようにもなります。

子どもが自分の気持ちを語ってくれたので嬉しかったというBさんの言葉は、たいへん意味深いものです。命令されたり注意されたりしない、と思うからこそ(信頼している/されているということです)、子どもは親に、自分の思いを話す気になるのです。

さらにBさんに起きた大きな変化は、子どもが気持ちを打ち明けてくれた時、とっさに返した自分の言葉を残念に思えたということです。Bさんは自分の言葉を意識できています。今までのように、自動的に無意識に命令の言葉を返すのとは明らかに違っています。

そして、不思議なことであり、当たり前のことでもあるのですが、子どもはこのような親の内面の変化をしっかりと感じています。そして、そのことが子どもにも大きな変化をもたらすのです。

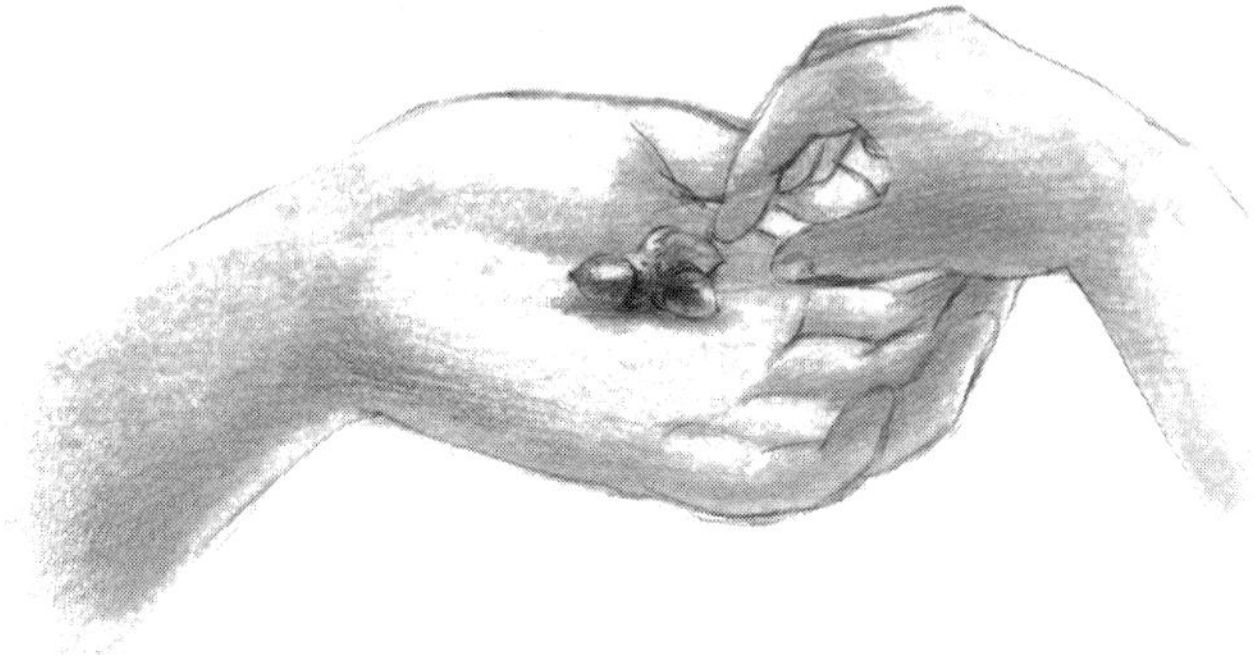

34　子どもに起きてくる変化

親が指示や命令を控えると子どもはすぐ変わってくる

顔を合わせるたびに指示や確認の言葉をかけていた親が、そのような言葉を控えて、その代わりに自分や子どもの気持ちや考えについて話したり聞いたりするようになると、子どもにはいろいろな変化が現れてきます。

欲求や衝動性が高まる

【例】　注意欠陥障害（ＡＤＤ）の小学生男子Ａくん。両親は、つねにＡくんに注意をしている状態だったが、面接でのアドバイスに従い、それらをほとんどやめてみた。注意してもしなくても、Ａくんができること、できないことは同じであるということに、すぐに両親は気がついた。一方で、Ａくんに対する接し方を変えてから、衝動性が出てきた。たとえば、自分の思い通りにいかないと、いきなり大きな声を出す、店で触ったらダメなものをむやみに触ろうとする、ゲーム等の勝ち負けに異常にこだわり、負けると泣きそうになる、負けそうになるとズルをし、指摘されてもズルしたことを認めない、などといったことが現れるようになった。

Ａくんの父親は、以前はこんなことはなかったのに、親が注意を控えていることで悪化しているのではないか、と不安を持ちました。しかし、これは親が注意をしなくなったことで、Ａくんの中で今まで抑圧されていた衝動や関心が、ようやく姿を現しはじめたと考えるべきです。

Ａくんは、おそらくこれまで、外への関心や行動の欲求のスイッチを切っていたと思われます。少し専門的になりますが、これは解離《かいり》と呼ばれる防衛機制《ぼうえいきせい》に近いものです。注意欠陥・多動性障害（ＡＤＨＤ）と診断されるような子どもは、小さい頃から、自分のしたいことをしようとすると、ことごとく注意されたり叱《しか》られたりします。ずっとそのような状況が続くと、子どもはやがて自分の欲求や関心を抑え込んでしまうようになる場合があります。そうなると子どもは外から見ると大人しくなったようには見えるでしょう（多動はおさまるので）。しかし周囲への注意や関心のスイッチを切ってしまっているような状態なのです。

そもそも、はじめから適切に行動できる子どもなどいません。自分の欲求と、周りの人との関係などを気にしながら、上手《うま》く行動していくにはどのようにしたら良いのか、いろいろと失敗をしながら成長していくのです。

それが、幼い時にあまりに厳しく管理されると、できるだけ叱られないために、子どもは、自分で自分の欲求を、いわば危険なもの、あるいは触れない方が良いものであるかのように感じるようになってしまいます。そうなると、なにごとにも無関心で、いつもぼーっとしたように見える子どもになってしまうこともあります。

Ａくんに衝動性が出てきたことは、注意欠陥の状態からの回復のチャンスです。せっかく出てきた欲求や行動が、再び抑え込まれてしまわないように、親は注意が必要です。

この場合、実際の年齢はたとえば八歳であっても、幼児の頃から欲求が抑え込まれていたのだとしたら、その現れ方は年齢よりも幼いものになるのは、仕方のないことです。今この子は学び損なっていたものを学び直しているのだと、やさしく見守ってあげることが大事です。また、親も面接などで支えてもらいながら子どもを見守っていけることが望ましいと思います。

親を避けていた子どもが、親と顔を合わせるのを嫌がらなくなる

親が指示や確認の言葉を控えるようになると、いくら呼ばれても部屋から出てこなかった子どもが、帰宅した親を出迎えたり、夕食の食卓に自分から来て座ったりするようになります。それまでは、顔を合わせれば、必ずなにかを指示されていたので、子どもは親と会うことを避けていたのです。

ちなみに、親を避けることは、人を避けることにつながります。したがって、親と顔を合わせるのを嫌がらなくなると、たとえば不登校の子どもであれば、「人と会うことは楽しい」という感覚を取り戻すきっかけとなり、それが再登校への最初のステップとなることもあるのです。

不登校の中学生の相談に来ていたある父親は、「うちの子は人と会うのが苦手なようなので、知っている人のいない遠くの街の繁華街などにまず連れて行って、「人になれさせる」ことからはじめてみようと思っています」と話されました。これは、一見合理的な方法に聞こえますが、子どもの心をまったく無視した考え方です。

2章などで書いたように、子どもが「どう感じているか」ではなく「なにをするか」にだけ注意が向

いてしまっているというのは、たとえばこのような姿勢です。もちろんこのような方法が上手くいかないのは言うまでもありません。

テレビを見て笑い声を立てるようになる

これもよく現れる変化です。「いつまでテレビを見ているつもり？」などと、すぐ小言を言う親が近くにいると子どもは、自分の存在を消すかのように無言でテレビを見ています。

もしも面白い場面があっても、うっかり笑ったりするとすぐに、「宿題は終わったの？」とか「もうそれぐらいにしないと朝起きられないよ」などと言われてしまうので、存在を目立たせないように息を潜めています。これではテレビも楽しめないでしょう。

ところが、呑気《のんき》にテレビを見ていても小言を言われないということが分かってくると、自然と子どもは笑い声を立てるようになってきます。そのようになってくる頃には、親の方も変わってきているのです。それまでは子どもの状態に意識が集中してしまって、あと何分したら叱ろうか、テレビは一日二時間と言ってあるのに、などと、いつどのような小言を言おうかと、そればかりが気になっていたのが気にならなくなり、イライラしていた気分が落ち着いたものになっています。

親の小言癖がとれてくると、親の方も子どもと一緒にいる時間を、リラックスして過ごせるようになってきています。親がリラックスしていることや楽しそうにしていることは、子どもにとっても嬉《うれ》しいことなのです。

欲しいものを要求しはじめる

子どもは親を避けなくなると、やがて親に接触してきて、要求もしてくるようになります。はじめは、「新しく出るゲームのソフトを買ってきて欲しい」とか、「新しいタイプのゲーム機が欲しい」など、なにかが欲しいというリクエストが多いようです。そのような場合、私は、できるかぎりそのようなリクエストは聞いてあげてくださいと助言しています。

男の子であれば、ゲームや携帯電話などの要求が多いでしょう。女の子であればファッション雑誌や化粧品のこともあるようです。また、髪を染めたい、パーマをかけたい、ピアスをしたい、というようなことを言い出すかもしれません。

これらはみな、子どもが外へ出て社会に向き合っていく時の味方（大人から見て、ではなく、子どもにとって）になるものです。そういったものを欲しがるということは、子どもの心が外の世界へ向かいはじめたというサインのようなものです。

外へ出ると、これまで親の保護下、監視下にあった子どもが、親から離れて自分の力で仲間や世間と相対《あいたい》していかねばならなくなります。その時に、普通に子どもが欲しがるものは、重要な役割を果たすものなのです。

「自分の子どもは他の子とは違うのだ」というような思いで育児をしてきた親の中には、自分の子どもが、他の多くの普通の子と同じようなことに興味があり、そのようなものを欲しがったり知りたがったりすることに落胆する人もいます。

私はそのような時、手塚治虫の漫画『ブラック・ジャック』に出てくる「白いライオン」の話を思い出します。動物園のスターである白い子ライオンの元気がなくなります。誰も治すことができないということで、ブラック・ジャックが治療を頼まれます。結局、ブラック・ジャックは子ライオンに黄色い色素を注射します。「白いライオン」として注目を浴びていた子ライオンは、黄色い普通のライオンになりました。結果として「動物園のスター」というストレスの多い状態から逃れることができたのです。子ライオンはすっかり元気になりました。しかし、動物園の園長は普通の色になってしまったライオンに失望して嘆き悲しみます。「これでは普通のライオンじゃないか!」と。

子どもが普通であること、仲間の多くが興味のあることに同じように興味を示せているということの価値を、親は理解すべきです。それは、普通の子ができないことができたり、普通の子が知らないことを知っていたりすることよりも、子どもが幸せに暮らしていくためには、ずっと価値のあることなのです。

以前にあった出来事の不満を親に話すようになる

小言を言わなくなった親に対して、子どもはやがていろいろな考えを伝えはじめます。自分が考えたり思っていることを話しても、叱られたり罰を受けたりしない、親は自分の思いを聞いてくれる、ということが実感されてくるにつれて、子どもはこれまで親に言いたくても言えなかったことを話す気になってきます。それは、裏を返せば、親の方に子どもの本音を聞く準備ができてきた、ということでもあります。

私も、長男や次男が小さい頃は、かなり厳しく彼らに接しました。テレビは家に置きませんでしたし、当時すごい人気だった任天堂のゲーム機「ゲームボーイ」も買ってやりませんでした。祖父母から与えられたゲーム機で隠れてゲームをやっていた現場を押さえた時、怒って（叱って、ではありません）子どもたちの目の前で壊したことさえありました。

私は、どうすることが子どもにとって一番良いのか、いつも悩み、つねに必死でした。親がしっかり導いてやらないと、きちんとしつけてやらないと、子どもは幸せになれないのではないか。私の心は、育児に関する不安で一杯になっていたのだと思います。

その後、私は、診察や面接の現場で、私と同じような悩みを抱えている親と、たくさん出会ってきました。そして、この本の中で紹介したようないくつかの場面を、自分の育児においても体験してきました。

そして、だんだんと「子どもを信じること」ができるようになってきました。子どもを信じる方針に変えてからは、私自身ぐっと楽になりましたし、子どもといることが本当に楽しくなりました。

そして、そのような変化が私に訪れた頃に、わが家でも次のようなことが起こりました。

【例】　私が家庭で子どもに対して指示や命令の言葉を使わなくなってしばらくした頃のこと。まだ小学生だった三男（バク）が私と話していた横で、すでに中学生になっていた長男と次男が、思い出話をするように話しはじめた。「自分たちが小さかった頃は、父さんはめちゃくちゃ厳しかったな。ゲーム機だって壊された。さっきバクが父さんに言ったみたいな生意気なこと、僕たちが言ったら絶対しばかれてた」。彼らがこの話をはじめた時、私はなんとも居心地の悪い恥ずかしい感じがしたが、しばらく話を聞いているうちに、ようやく彼らが自分のことを許してくれそうな気がした。そこで、「ごめんな。あの頃は父さんも、そうするのが子どものためやと思ってたんや。いろいろ辛かったやろうな。悪かったな」と謝った。

子どもたちに謝ることで、私の気持ちが一気に楽になりました。そうなることを見越して、息子たちが私に機会を与えてくれたような気さえしました。

過去の不満を子どもが親に話してくれること。それは、親にとっては、自分が過去に犯した罪を償うチャンスを子どもが与えてくれているということです。

このような子どもの親に対する訴えについては、小野《おの》修《おさむ》先生の『トラウマ返し――子どもが親に心の傷を返しに来るとき』（黎明書房、二〇〇七年）というたいへん良い本があります。「トラウマ返し」という命名は本当にぴったりです。長年親子の問題に関わってこられた小野先生の説明は、医師としてだけではなく、父親としての私に、たいへん大きな支えになりました。

この本には、子どもが過去の不満を親に訴えてきた時に親はどうすれば良いかについて、「親は自分をかばうのではなく、子どもがそう感じていたのだ、ということを理解して受け止めるべきである」と書かれています。子どもが不満を訴えることについても、「話して下さる」と思うべきである、とまで書かれています。私も育児で数多くの失敗を積み重ねてきた一人の父親として、まったくもってその通りだと思います。

また、親が命令しなくなると家の中の空気は軽くなります。良い意味で親と子どもが対等になります。子どもたちは、自然に自分の意見を言い合うようになります。自分の意見を言えるためには、まず思ったことを口に出す必要があります。それだけでもかなりエネルギーがいります。さらに相手が自分の意見に同調しないこともあります。そのような状況を乗り切る方法や交渉の能力は、やがて子どもたち自身を守る大切な力になるはずです。

35　押しつけないことで伸びるものがある

勉強しなさいと言われていないAくん

この章では、親が押しつけないことで伸びるものがあるということの具体例を挙げてみます。

私の主宰する遊びサークルのメンバーであるAくんは十二歳の男の子です。小学校に入る前からサッカーをしています。彼の生活のほとんどはサッカーで、残りはコミックを読み、テレビを見て、ゲームをしているそうです。

次に紹介するのは、Aくんのお母さんから聞いた話です。

【例】　Aくんには年の離れた弟がいる。夜眠る前に弟に母親が恐竜の図鑑を読んであげていた。Aくんはとなりでコミックを読みながら、なんとなくそれを聞いていたが「タイタノサウルスの化石はアルゼンチンとインドで発掘されました」と母親が読んだところで「それなんかおかしいな」と言った。アルゼンチンとインドという遠く離れた場所で、同じ化石が出ることはおかしい、と感じてそれを口にしたのである。

【例】（続き）　別の日のこと。Aくんは宿題の書き取りをしながらつぶやいた。「「取」という漢字は不思議やな。手で取るはずなのに手偏がついてない。なんで耳と又なんやろ」。Aくんはいろいろと調べてみた。その結果、取の字の又が手の意味であることが分かった。そして、古代中国では戦争の時に褒美をもらう時の証拠として、倒した相手の左の耳を取っていたということも分かった。

普段の生活の中で、Aくんは、時々このような疑問をふと口にすることがあるそうです。

Aくんの親は中学受験に関心はないし、勉強に特別の価値を置いていないので「勉強しなさい」というようなことは一切言わないとのことです。それでも、宿題だけは自分でちゃんとやっているそうです。さらに、Aくんにはお兄さんお姉さんがいますが、その二人は、Aくんのように、日常の場面で勉強に関係するような疑問を口にすることは一切ないそうです。

このAくんは、おそらく、勉強に向いている子だと思われます。それは、神経質だったり几帳面だったりという、Aくんの生まれつきの性質とも関係するのでしょうが、それだけではなく、環境の効果（育児態度の影響）もあると考えます。

環境と言っても、親が積極的になにかを与えたという意味ではありません。その反対です。親が余計な干渉をしなかったからこそ、Aくんは勉強に関することでも、遊びやテレビと同じ感覚で、身構えることなく好奇心を向けることができているのでしょう。

自分で問いを立てられるということ

先の化石の話に関して。もしも「なぜアルゼンチンとインドから同じ化石が出たのでしょうか？」といった問題として出されたのなら、頭の良い子であればいろいろと答えを思いつくでしょう。

推測能力のある子であれば「その恐竜は世界中にひろく分布していた」などと答えるでしょうし、図鑑をいつも読んでいるような子であれば、かつてインドと南米大陸や南極などが一つの大陸だったことまで知っているかもしれません。

しかしここで注目すべきポイントは、Aくんは誰かに質問されたのではないということです。会話の中から、人から聞いた話の中から、自分で問題を切り出してくる、すなわち自分で問いを立てることができるという姿勢が、勉強に向いているということです。

あるいは、勉強にかぎらず、このような特性は、変化が大きく厳しいものになりそうな、これからの時代を生き抜いていくためには、非常に重要な力となるものだと私は思います。

子どもの能動性を大事に育てることの難しさ

問題を出されたら答えることができる子に育てる、というのは、さほど難しいことではないでしょう。脅したり褒めたりして勉強をさせれば、知識は増えていきますし、知識が増えれば推測する能力も増えてきて、知らないことにも答えられるようになっていくでしょう。

しかし、Aくんのように、ふだんの会話の中で耳に入ってきたトピックから、勉強に関係するような疑問を持つことができて、それを素直に口にできるといったような能動性を、子どもに身につけさせるのは、たいへん難しいことであると思います。

Aくんの場合、親が勉強を特別なものと考えていないので、普通の会話の中にも勉強を見つけるし、勉強に対しても普通に向き合うということができているようです。

もちろん、生まれつきの性質というのもあるかもしれませんが、Aくんの場合については、私は、ご両親の、勉強を押しつけないという育児姿勢によって、今のところ、このような特性、能動性が伸びているのだと思います。

このような特性の現れは、難関中学に合格するというように外から見て明らかなものではないので、分かりにくいものです。また、Aくんが、この先中学生や高校生になって、良い成績がとれるかどうかも分かりません。また、これも起こりがちな話ですが、せっかく良いものを持っているらしいので、その素質をちゃんと伸ばすために、こうやったら良いなどと、親や教師が下手に触りはじめると上手《うま》くいかなくなってしまうかもしれません。「面白いことに気がつくなぁ」などと、下心ありありで褒めるのも、おそらく害にしかならないでしょう。Aくんの知的好奇心は、褒められるから身についたものではないからです。他にも、たとえば、この際、大陸移動の理論などを読ませようなどというのも、やはり筋が良くない干渉と言えるでしょう。

私は近所の空き地で野菜を育てています。たまに種を蒔《ま》いていないはずの場所に、野菜の芽がひょっこり出てくることがあります。せっかく生えたのだから安全なところに植え替えよう、などと手を加えると、たいてい間もなく枯れてなくなってしまいます。そういう時は、抜かないように注意しておくだけで、それ以上はなにもしないに限ります。

36　子どもが失敗した時は愛情を与えるチャンス

こぼすのはわざとじゃない

小さな子どもも、四歳頃になると注意の能力が備わってきて、お椀のみそ汁やコップの水をひっくり返す回数はぐっと減ってきます。

しかし、それまでの間、子どもは本当によく物をひっくり返します。欲しいと思った物に手を伸ばす時、その途中に他の物があるということが、まだ手の動きに組み込まれていないのです。いわば「手がまだそこまで賢くなっていない」のです。また、テーブルの端っこぎりぎりのところにコップを置いたり、手や肘《ひじ》が当たりそうなところにお椀を置いても平気です。

こぼしてもかまわないと思っているのではないのです。そういう位置に物があると、こぼしやすいという身体の知識がまだないのです。何度も失敗するうちに、手の動かし方や食器の置き方に、注意が行くようになってきますが、それまではいくら注意されても叱《しか》られても難しいのです。「わざとやらない」とか「不注意」ではなく「できない」のです。注意の力が育っていないのです。注意する力は、背が伸びたり、歯が生えたりするように、成長とともに育ってきます。叱られたり教えられたりして、身についていくものではないのです。

大人がこぼしたりひっくり返したりしないのは、意識的に注意しているからではなく、意識しなくても注意が働いているからです。繰り返しましょう。子どもの失敗はわざとではありません。まだ制御能力が十分でないのです。そのような未熟さを叱ることは、役に立たないどころか、子どもの自尊心を貶めてしまいます。

このような話をするとすぐに、「でも、注意をしなければ、子どもはこぼしても良いのだと思って、いつまでもひっくり返しませんか？」とか、「食べ物をこぼしても平気というのでは、食べ物を粗末にする子になりませんか？」といったような質問が講演の後などにいつも出されます。

けれども、これは子どもの成長する力を信用できていない捉え方です。叱られなくても、子どもはこぼしたくないと思っているし、きちんと食べたいと思っているのです。たとえ叱られなくても、こぼしたこと、それ自体が子どもにとっては残念なことであり、罰なのです。そこに追い打ちをかけるように親が関わると、困っているのは子どもではなく親であるかのようになってしまいます。そうなると、子どもは自分の失敗を、自分で受け止める機会を邪魔されてしまうことになります。

子どもは、ちゃんとできるようになりたいと、いつも思っている生き物です。このことを信じる必要があります。親がそのように信じてやると、子どもはそれをちゃんと理解します。「親が信じてくれている」ということを理解するだけでなく、「自分にはその力がある」と自信を持つことができるようになるのです。

何度でも書きますが、親に導かれなくても命令されなくても褒められなくても、子どもは自分のために上手にできるようになりたいと思っていますし、幸せになろうとし続ける生き物なのです。

子どもに愛情を与える絶好のチャンス

物をこぼすのと同じような子どもの失敗としておねしょがあります。おねしょをした時に、親がすべき対応は「大丈夫だよ」とやさしく言って、騒がずになんでもないように片付けてあげることです。子どもは不注意で失敗したのではないのです。「寝る前にお水を飲みすぎたからよ！」とか「トイレに行ってから寝なさいって言ったのに」などと責めることはたいへん有害です。

子どもは自分で排泄《はいせつ》のタイミングを学んでいかねばなりません。寝る前に水を飲んだって、トイレに行かなくたって、そのうちにおねしょはしなくなります。

子どもが失敗した時は、くどくどと嫌なことを言わず、やさしく片付けてあげれば、それは子どもに愛情を与える絶好のチャンスになります。

子どもは、幼くても、親がそのように愛情を示してくれたことを、必ず覚えているものです。覚えているといっても、「おねしょした時に文句を言わずに片付けてくれたね」というように、言葉で出来事を思い出して語ることができるというようなものではありません。

それは、出来事のイメージ（夜の寝室の光景、肌寒さやオシッコでぬれた衣服やシーツの感覚、匂い、など）、そして、それにともなった気分や感情（親が世話してくれた態度や言葉がけから受け取った安堵感など）として漠然と記憶されています。

そういったものは、たとえば子どもが大人になって、その子どもの子どもが同じようにおねしょをした時に、無意識によみがえってくるかもしれません。その意味では、親から子への時間や世代を超えた愛情、贈りものと言えるでしょう。

母親に余裕がなければ父親の出番

育児は母親が主な担い手となっている家庭が多いでしょうが、もしも母親が疲れていてやさしく接する余裕がないようなら、父親の出番です。仕事に疲れて帰宅し熟睡していた夜中に、子どもが「おしっこ出ちゃった」と小さな声で言ったとします。力を振り絞って起き上がり、やさしく子どもを着替えさせて、応急処置でバスタオルを敷いて子どもを寝かせてあげましょう。その後でシーツやパジャマ、パンツを風呂場でぎゅっぎゅっと押し洗いしましょう。指が固まるほど水が冷たかったたくさんの冬の夜を、私は今も覚えています。それでも、「子どもに愛情を与えるチャンスをくださってありがとうございます」と、感謝の思いさえ浮かんだものです（若干マゾヒスティックですが）。

たいへんな状況なのに、私は子どものおねしょの場面では、なぜか妙にほのぼのとした幸せな気分を感じたのを覚えています。もしかしたら、私が子どもの時に同じような状況で、私の親からやさしく接してもらえた体験の記憶が、おぼろげによみがえってきていたのかもしれません。

「大丈夫だよ」と言ってあげても大丈夫

食器をひっくり返した時だって同じです。騒がず大丈夫だよと拭いてあげたらいいのです。「こぼすよって言ったでしょ！」などと注意することは親の自己保身（＝「攻撃者への同一化」。29章を参照してください）の現れです。子どもは、わざとしたのではないことで叱られて、不満に感じるでしょう。さらに、食べることが好きでなくなってしまったら、その子はこの先の人生における喜びを大きく奪われることになります。

小言を言い続けると、子どもの自尊心や積極性を育て損なってしまいます。そして、ここは医師としてカウンセラーとして強調しておきますが、育ち損なった自尊心や積極性を回復するのは、本当に難しくたいへんなことです。とくに理由もないのに楽観的だったり積極的だったりする人、反対にとくに理由もないのに悲観的だったり消極的だったりする人、その違いは生まれついてのものが大きく関係しているかもしれません。しかし、一部には親がその人にどう接してきたか、ということも関係していると私は思います。

本来子どもが持っている楽観性や積極性、それらがいったん失われれば、回復するためにかかるエネルギーやコストは、こぼれたみそ汁やそれを片付ける苦労に比べたら、桁《けた》違いに大きなものになるでしょう。子どもが失敗した時に小言が言いたくなったら、そのことを思い浮かべてみると良いかもしれません。

37　おしゃれや化粧は自分を守る

退行が起きたらそれはやり直しのチャンスである

【例】不登校の女子高校生。中学までは真面目なおとなしい子だった。高校受験で親のすすめる学校を受験したがいずれも失敗した。滑り止めだった高校に進学したが、高校一年の五月から、朝起きられなくなった。しばらく保健室登校していたが、やがて不登校になった。家では掃除や食事の後片付けを手伝っている。学校には行かない！の一点張り。母親は、子どもがなぜ学校に行きたくないのか、その内面についてはまったく無関心である。そのことを医師にたずねられても、「分かりません」とあっさり答える。

不登校の相談ではよくあることですが、この母親も、子どもがなぜ学校に行こうとしないのかについては、「分かりません」とあっけらかんと答えていました。悩んでいる様子は微塵《みじん》もありません。私が受けた印象は、この親にとって子どもの不登校はあってはならない間違いであって、この間違いは必ずすぐに解消するものだと確信している、というものでした。

高校も親の言う通りに決めたこと、おとなしい子であったということなどからも、今回の不登校は、この子のはじめての意思表示（親の気持ちに逆らう行動）であると考えられます。

そして、そのような事態に対して、母親は否認の防衛（23章）を用いていました。私がいろいろと子どもの気持ちについて質問するのに対して、「とにかく学校に行かせたいのです」の一点張りでした。

【例】（続き）　母親の語る娘の家での様子。「娘は一人で寝るのが怖いので、私と手をつないで寝ている」「風呂場までの廊下が怖いから一緒に来てと言う。大きな家でないのに。ほんの数歩だが廊下が怖いらしい」「買い物に出る時も手をつなごうとする」。

母親はこのような子どもの行動を不思議がっていました。10章（「親と子の別れ」）のところで説明したように、子どもにとって、自己主張をするということは親からの自立を意味します。そして、自立は基本的に心地良いもの、子どもにとって望ましいものなのですが、しかし同時に親から離れることには、大きな不安もともないます。はじめて不登校という自己主張をしているこの子は、親から自立することにともなう不安を感じて、かえって幼い子どものようになって親を求めているのでしょう。

このような時に、その行動をからかったり、やめさせようとしたりしないことが大事です。年も身体も大きくなっていても、いわゆる退行《たいこう》を起こしているのです。自分が育つ途中で克服し損なっていた課題を、もう一度幼い子どもに戻って、やり直しているのです。

これは、逆に、親にとってもチャンスです。親にしてみれば、幼い時に必要な分だけ甘やかせ損なった分を、もう一度過去に戻ってやり直す機会が与えられたようなものだと思えば良いのです。

16章（「母親は子どもに去られるためにそこにいなければならない」）で説明した通りですが、子どもが自立できるためには、十分に甘えさせてやることが大切なのです。子どもは、自分に足りないものがなんであるかを、本能的に知っています。その子どもの本能、人間としての力を信じて、子どもを受け容れることが親に求められているのです。

なお、このような一時的な甘え、退行はなんら問題の出ていない子どもでも、実は良く現れるものです。親としては子どもが幼かった時を懐かしむように、ただやさしく接してあげるのが良いと思います。会えるはずがない過去の時間から、幼い頃の子どもが会いに来ているようなもの、そんな貴重な機会だと私はいつも楽しみにしています。

おしゃれや化粧に興味を出すのは良い兆候

【例】（続き）　娘は最初は一人で外出できなかったが、時々ファッション雑誌を買いに行くようになった。娘は「これまでは本屋さんに行っても、ファッション雑誌のあるところは私には「アウェー」だった。近寄れなかった」と母親に話したという。このほか、それまであまり気にしたことがなかったおしゃれに興味を示すようになってきた。髪の毛を染めたいと言い出した。化粧品を買いたいが、なにを買ったら良いのか分からないので、母親について来て欲しいと頼んできた。小遣いを要求するようになった。

このような変化が起こるとすれば、それは良い兆候であるということを、あらかじめ母親に話しておきましたので、母親も子どものこれまでになかったいろいろな要求を受け容れることができました。

このように、女の子の不登校や引きこもりの場合、親からの無用な干渉がなくなって外に気持ちが向きはじめると、おしゃれや化粧、自分の容姿に関心が向きはじめることが多くあります。

これは本人が外に出て行くことを意識しはじめている証拠です。おしゃれや化粧には「防衛」の意味もあります。他人や外の世界から本人を守るものなのです。

また、この母親自身は、おしゃれを嫌悪し謹厳実直を子育てのモットーとする母親に育てられたとのことでした。母親自身は、親の目を盗んで化粧品を買ったり服を買ったりしたのだそうです。

同様に子どもも、他のみなと同じように社会で生きていくためには、自分の身を飾り、自分を守る必要があったのです。子どもに一定の自由が与えられていれば、小遣いを使って好きな時間に好きなところで欲しいものや欲しい服を買うでしょう。

それらは、親から見たら趣味の悪いもの、無用なもの、無駄なものであるかもしれませんが、子どもにとっては重要なものであるかもしれません。また、たとえ無駄な買い物だったとしても、それに気がつくのもまた子ども自身でないと意味がありません。

子どもが自分の小遣いで問題集や参考書を買ってくることは、親から見ると良い買い物のように思えます。一方で、髪の毛を染めたり派手な服を買ってくることは、無駄なこと、今すべきではないこと、のように思えるものです。

しかし、同じ年頃の友だちと、同じようなものに興味を持っていること、おしゃれや化粧、自分の容姿に関心を持っているということは、勉強することによって得られるものとまさしく同じように、その子の人生にとって必要なことなのです。

そういうことを親は心に留め置かねばならないと、私も親の一人として思いつつ、子どもの買ってくる服や靴に「なんでそんな色なんだ……」という言葉を胸にしまい込みながら暮らしています。

38　衝動を制御する力はどう育つのか

わがままを聞いてもらえた子はわがままを自制できるようになる

ここで説明しようとすることは、「わがままを聞いてもらえた子どもの方が、衝動や欲求を自分でコントロールできる子になる」という、一見逆説的な話です。

子どもの衝動や欲求を親が強く抑え込むと、子どもは見かけ上はおとなしくなります。しかし、これは親から叱《しか》られないように、自分の衝動や欲求を感じないようにしているだけです。

そのために、子どもは、衝動や欲求を自分でどう抑えたら良いのかを学ぶための機会が奪われてしまっています。そうなると、結果として子どもの積極性や好奇心は育ちにくくなってしまいます。

いわゆる「ぼーっとしている」と表現されるような子ども（注意欠陥障害と診断されていることもあると思います）の中には、このような親からの抑え込みや厳しいしつけを受けてきている子がいます。

このような子どもは、成長して欲求や衝動が現れてきた場合に、それまでの体験の乏しさから、行動や表現が過剰になることがあり、自分や周囲にトラブルを起こすこともあります。

そうならないためには、親が、子どもの欲求の表現や衝動性について、やさしく受容してやることや、見守ってやることが非常に大切です。子どもは衝動的に行動することのメリット（自分の思い通りになる、すぐに結果が得られる、など）と、デメリット（ものが壊れる、仲間や家族に不快な思いをさせる、など）を何度も味わいながら、自分の衝動や欲求を抑えること、整えることを学んでいきます。

子どもはみな衝動的である

大人と比べると子どもはみな衝動的です。思いついたらすぐに行動したくなります。見方によっては落ち着きがなく注意散漫のようにも見えますが、これは、成長の途中にある子どもにとっては、とても大切な特性です。

【例】四歳の男の子。寝る前に絵本を読んでもらっていて、ウサギが跳ねている絵を見た。自分も跳ねてみる、と言ってふとんから飛び出して、何度か跳ねて戻ってきた。

【例】四歳の男の子。保育園に行こうとしていて、玄関でカードゲームのことを突然思い出した。家を出る前にカードをどうしても見たいと言い張ったが、親から仕事に遅れてしまうから晩に家に帰ってから見るようにと言われると、大泣きになり、そのまま泣きわめきながら保育園に連れて行かれた。

発達心理学的な説明をすると、子どもがすぐ行動しようとするのは、記憶の働きが未熟であることにも関係があるでしょう。なにかのイメージが頭に浮かんでも、子どもはそれを長く保持しておくことは、まだできないのです。そのイメージから導かれる行動をしたい、という欲求が生じた場合には、すぐに行動しないとやがて消えてしまうのです。子どもはそれが分かっているので、思い立ったらすぐ行動ということになるのでしょう。

右の例であれば、ウサギのように跳ねることも、カードを眺めることも、たいしたことではありません。しかし、思うようにさせてもらえなかった場合には、子どもには不満として残るでしょう。

もちろん、親の方は、合理的な説明をして、自分が子どもの行動を制御することを、正当化しようとするでしょう。しかし、そんな理屈は子どもには通じないのです。

子どもにしてみたら、すごく大事なこと、すごくやりたいことがあったのに、我慢させられた、といったような不満が生じてしまい、場合によっては、少々大げさですが、自尊心や自己効力感《じここうりょくかん》（自分はやればできるのだという感覚）に影響を及ぼすこともあるかもしれません。そもそも、親が仕事に遅れるかもしれないのに急にカードを見たいと言い出す子どもの行動は、わがままで迷惑なものであっても、子どもは、けっして親を困らせてやろうという悪意があるわけではないのです。

とはいえ、私は、だから子どもの言う通りにせよ、仕事に遅刻してでもカードを眺め終わるまで待ってやれ、と言うつもりはありません。

ただ、この場合でも、「カード、見たかったんやな、でも、今は出かけないとだめだから、後にしてな」と、やさしい気持ちを持って子どもに話をするだけで、しばらく泣くことになっても、無下《むげ》に叱って連れて行くのとは、大きな違いがあると思います。

つまり、子どもの気持ちを理解していること、子どもの意に沿わないことをさせてしまっていること、を自覚しているということが大事なのです。

受容的な状況でそれまで抑えられていた衝動が現れてくることがある

ところで、親から虐待されているような子どもや、愛情を与えられていない子どもに対して、親以外の大人がやさしく接していると、はじめのうちは良いのですが、やがて子どもがわがままを言うようになり、持て余してしまうということがしばしばあります。

【例】 小学二年生の女の子。母親と二人暮らし。母親が仕事から帰ってくるまで家には入れないため、マンションの玄関前で座り込んでいることがよくある。給食のない日には、お昼ご飯も夕方まで食べられないこともある。見かねた近所の人が、家に入れてやり食事を与えた。女の子は、最初は遠慮気味でおどおどしていたが、何日かそういうことが続くうちに、勝手に家に上がってくるようになり、冷蔵庫を開けて食べ物を探したりするようになった。出された食事も、はじめは美味《お》しいと言いながら食べていたが、やがて、自分はうどんは嫌いだとか、プリンが欲しい、などと厚かましい態度で不平を言ったり要求をしたりするようになった。

親からの愛情を十分に受けていない子どもは、自分が受け容れられたと感じる環境で、はじめて欲求や衝動を表現しはじめます。このような子どもは、他人との距離のとり方も上手《じょうず》でないことが多く、そのため、接した大人の方は、子どものなれなれしさに戸惑うこともあるでしょう。不憫《ふびん》に思って親切にしてあげたのに、「なんてずうずうしいんだ」とか「やっぱり親のしつけが悪い」などと感じるかもしれません。

しかし、この例であれば、女の子は安心して甘えるということをはじめてやってみているのです。けれども、それまでに甘えさせてもらったことがないので、どうやって大人に接していけば良いのか、自分の気持ちをどう表現すれば他人を不快にしないのか、などといったことが分かっていないのです。

このような子どもは、本来は、自分の親との間で自分の欲求を表現してそれが叶《かな》えられるという経験を積むことが望ましいのですが、現実にはそれが叶わない場合も多くあることでしょう。その場合は、やはり、親以外の大人が、右に書いたようなことを理解した上で、その子どもにやさしく接してあげる、ということが必要になります。

他所《よそ》の子どもにそこまで覚悟をして接していくのは、おそらくほとんどの方には不可能だと思います。しかし、自分の子どもに対してなら「ならぬ堪忍」も「なせる」のではないでしょうか「このわがままは今この子にとって必要なのだ」、「ただのわがままではないのだ」、と思って接すれば、受け容れてあげることができるかもしれません。親以外の誰がそんなことをしてくれるでしょうか。

ともかく、受け容れてもらえて、安心して自分の欲求を表現して、それを叶えてもらえた子どもは、友だちとの関係や大人になってからの相手との関係でも、自分の要求を上手に伝えることができるようになるでしょう。また、相手の要求を聞いてあげたり、相手の気分を害さぬように断ったりすることもできるようになるでしょう。

虐待まではいかなくても、それまで子どもに厳しく接していた親が、子どもの不登校やリストカットなどをきっかけに、相談に通いはじめてアドバイスを受けて、子どもに受容的に接するようになると、やがて子どもに衝動性が現れてきます。そういった場合に、親は、それまでになかったようなきょうだいでの衝突、急に現れはじめたわがままな態度、などに直面し、「やはり厳しくしつけないと、子どもがどんどん悪くなってしまう」などと不安になったりします。

しかし、このような子どもの変化は、必要な変化であり良い兆候です。もっと幼い時に、自分の思いを主張し、その結果、相手がどんな反応をするか、自分はどう感じたか、などといった体験を十分にすることができなかったのでしょう。

子どもは、それをまるで「補習を受ける」かのように体験しているのです。親は、そのことをしっかり理解して子どもに接する必要があります。親が制限をかけなければ、子どもは自分で試行錯誤を繰り返しながら、相手や世界との関係の中で、自分の力で自分に必要な制限を作りはじめます。その制限は、外の世界の広がりとともに、さらに適切なものに変化・成長していきます。

もう一度書いておきますが、子どもの衝動的な行動をすべて受け容れるべきであると言うのではありません。そうではなくて、子どもの行動をただ制限するのではなく、「今この子は自分の制限を自分で作っている途中なのだ」という思いを持って接してやることが大切であると言いたいのです。

一見大人びて見えるような子どもが問題を抱えている場合もある

一方、一見大人びて見えるような、コミュニケーションの上手な子どもが、実は問題を抱えているという場合もあります。

【例】小学三年生の男の子Aくん。両親、祖父母と暮らしている。Aくんは厳しくしつけられていて、挨拶もきちんとできる。大人と話すのが苦手でない。先生や友だちの親とも物怖《ものお》じせずに話す。ある時家から少し離れた田舎町に何家族かで出かけた。子どもだけで散歩に出かけて、駄菓子屋に入った。田舎の町の長閑《のどか》さで、店の中には人影がなかった。どうしたら良いのか分からず、他の子たちは店を出て帰ろうとしたが、Aくんは「すみませーん、どなたかいらっしゃいませんかー？」と、はきはきとした声で奥に向かって人を呼んだ。しかし返事はなかった。
するとAくんは小さな声で友だちに「これなら黙ってお菓子持って行ってもばれないよな」と言った。

厳しくしつけられているAくんは、どのように相手に声をかけるべきか、教えられてよく分かっています。しかし、Aくんから発せられる子ども離れした挨拶や大人向けの言葉は、Aくん自身の幼い欲求を表現できるものではないようです。借り物の言葉を使っての表面的なコミュニケーションは上手ですが、子どもらしい欲求は表現される機会がないままに、未熟なままでとどまっているようです。

一見すると、Aくんは相手とのコミュニケーションが上手な子に見えるかもしれません。しかし、年齢が上がっていくにつれて、仲間とのよりリアルなコミュニケーション、交渉や相談をする必要が生じてくるようになる頃に、自分の本心を表現する体験と能力の不足は、かなり決定的な問題になって現れてくることが懸念されます。

親との関係は他人との関係に引き継がれる

子どもの頃に親に一方的に抑え込まれて、言うことを聞かされて育った人は、大きくなるにつれて、親以外の相手との関係でもいろいろと問題が起こってきます。自分の事情や気持ちよりも相手の要求を優先する癖のせいで、対人関係に問題が生じやすいのです。

そういう人は、自分の要求を相手に伝えることに大きな困難を感じます。正当な要求をする場合でも難しいのですから、まして相手に甘えることはほとんど不可能なくらい難しいことでしょう。

このような対人関係のスタイルは、親しい友人や配偶者、自分の子どもとの関係においても、さまざまな問題を生じさせます。その結果、人と接することが苦手になったり、他人といるとすごく疲れたり、というような大人になってしまうかもしれません。

子どもの人生を、そのような辛い状況に追い込んでしまわないためには、子どもが親の気持ちを汲むのではなくて、親が子どもの気持ちを汲んでやることがまず大事だと思います。

39　家ではくつろがせてやる

家ではくつろぐ、外では頑張る

子どもに勉強をさせるということが一番大事な目標になってしまった親は、子どもが家にいる間、どうやって勉強時間を増やそうかと、意識がそこに集中してしまいます。こうなると、子どもは家でくつろぐことが難しくなります。

家はくつろげる場所であること、このことを家庭での最重要目標とすると決めてしまえば、親も子どもも気持ちはぐっと楽になります。子どもにとって、家がくつろげる場所であれば、外に出て行く元気も出てきますし、学校でいやなことがあっても、頑張って過ごしていけます。

この目標を見失わないためには、まずは親が欲張らないということが大事でしょう。子どもが、身の回りのことがきちんとできること、気持ち良く挨拶ができること、規則正しい生活習慣を身につけること、等々、できたら良いことはたくさんあるでしょう。しかし、家がくつろげる場所であることを最優先して、ひとまずそれ以外のことには目をつぶることにするのです。

制服を片付けてやる

わが家の実際の例を紹介してみます。

【例】 長男、次男、三男が、それぞれ高校生、中学生、小学生だった頃のこと。私が仕事から家に戻ると、玄関には小学生の三男のランドセルと黄色い帽子が投げ出されている。その先には中学生の次男の制服のズボンと靴下が脱ぎ捨てられている。そこから居間に進むと、ソファの前に高校生の長男の制服のズボンが裏返しで落ちている。近くにはやはり靴下が脱ぎ捨ててあり、アイスの容器がソファの肘掛けに載っていたりする。

自分の脱いだ制服も自分で片付けられないで、そんな育て方で良いのかと家内は言います。なので家内は彼らの制服を片付けてやることはしていません。私も彼らが自分で片付けられた方が良いとは思っています。かつて何度かそうするように注意したこともありました。しかし、二、三日でいつも通りの玄関の光景に戻ってしまいました。

私は玄関の壁に、フックを上下二列に分けて数個ずつとりつけました。家に帰って、右のような光景に出会うと、私はまず、ランドセルと帽子を下の列にかけます。そして、次男や長男の脱いだ制服のズボンを表に返してハンガーにかけて上の列につるします。さらに、靴下は洗濯機に、アイスの容器はゴミ箱に入れます。

これらのことをするのに要する時間は、ほんの二、三分ほどのことです。私だって仕事で疲れて帰ってきていますが、子どもたちも同じです。学校で疲れて、ようやくたどり着いた家で、ほっとしているのです。なので、これらの片付けを私は自分の仕事として淡々とやります。子どもに恩着せがましく感謝の言葉を求めたりすることもしません。

同じことを何度も言い続けてストレスを与えていては、「家ではくつろぐ」という目標が達成されません。そこで私は、淡々と片付けることにしています。

とはいえ、もちろん現実には難しい状況もたくさんあります。

たとえば、最近のある休日のことです。外はいいお天気ですが、高校生になった次男は午前中からテレビのバラエティ番組をずっと見ていました。私は「英語の勉強とかやっておくと、あとで役に立つよ」とか、「今の君の頭だったらなんでもすぐ覚えられるのに時間がもったいないよ」と、彼に言いたくなりました。「いくらくつろぐのが大事と言っても、このまま放っておくことは、親としてなすべきことをなしていないのではないか、後で後悔するのではないか」などの葛藤がありました。

しかし、自分はどうでしょうか。「休日だけど休日勤務で働いたらもっと給料は増えるよ」とか、「論文をもっと書いたらもっと出世できるよ」などと言われることを想像しただけで、たとえ自分のためを思って相手は言ってくれているとしても、うんざりしてしまいます。「のんびり休ませてよ」と言いたくなるでしょう。「やりたくなったら自分でやるから」と言い返しそうです。子どもだって同じでしょう。でも、「本当にこれで良いのか」としょっちゅう思いながら、小言を飲み込んでいるのです。

そんなに甘くて大丈夫なのか

きちんとしつけなかったから学校に行かなくなったりするのだと、臨床《りんしょう》や教育の現場をご存じない方は思われるかもしれません。しかし、実際には、不登校になる子どもたちは、どちらかといえば良くしつけられている子の方が多い印象があります。

また、不登校や引きこもりの問題でお会いしてきた親たちも、子どもに対して小さい頃から厳しくしつけて片付けをきちんとさせていたり、きちんと片付けないことに対して同じ注意を毎日繰り返していたりしていることの方が多いのです。ですから、強く叱《しか》ってきちんとさせたからといって、良い結果になるとは限らないことを、私はよく分かっています。

ならば、甘やかしてやろうと決めて、潔くそのようにしているのです。

そんなに甘くて大丈夫なのかと思われるかもしれません。私も、これで良い、という確固たる自信を持って、彼らの服を片付けているわけではありません。

しかし、少なくとも、このように決めてしまえば、親はイライラしなくて済みますし、子どもとの関係がそのために悪くなることもありません。それに、子ども同士も、親への気づかいや、手伝いの多少をめぐって仲違いしたりすることも減りました。

子どもを信じるということは、いつか言われなくてもズボンを片付けるようになるだろうと信じるのではありません。一人暮らしをはじめたら片付けるようになるだろうと信じるのとも違います。ましていつか親に感謝するだろうと信じるのでもありません。ではなにを信じるのでしょうか？　この子は愛情をかけるのに値する人間だと信じるのです。

わが家の子どもたちも、家を出て行くまではずっと制服は脱ぎっぱなしかもしれませんし、いつの日か自分で片付けるようになるかもしれません。どちらでも私はかまいません。彼らがこの家でくつろぐことができ、楽しそうに過ごせること、それが私の願っていることだからです。

40　子どものペースで

指導しすぎる大人たち

私はよく近所のプールに子どもを連れて行きます。夏休みなどには、子どもの友だちも一緒に行きます。彼らは、なんのかんのと、二、三時間は遊んでいます。

さて、プールでよく見かけるのが、指導するタイプの親です。子どもが泳ぐのを見ていて、細かく指示を出します。大分良くなったよ、次はここを直したらもっと良くなるよ、とコーチングの言葉は大体前向きです。せっかくの休日の時間を、子どもの水泳のコーチに使っているのだから、良いお父さんお母さんなのだとは思います。

しかし、私は、親は子どもに教えない方が良いのではないかと思います。子どもは親に指導されるよりも、友だちとふざけあって遊びたいのではないでしょうか。自分が子どもだったら、他の子どもが遊んでいるところで、自分だけは親とマンツーマンで泳ぎ方の指導を受ける、というのはかなり楽しくない、正直なところ大分辛い状況だと思います。

私自身水泳をやっていたこともあり、子どもたちの泳ぎのどこを直したらもっと上手になるだろうという考えは、たしかに彼らの泳ぎを見ていると、いつも浮かんできます。けれども、教えるということは一切しません。子ども自身が、本当に速く泳ぎたいと思えば、泳ぎ方を教えて欲しい、と頼んでくるでしょうし、たとえば私が子どもの頃そうだったように、泳ぎ方の上手《うま》い友だちのフォームを真似するなどして自分で工夫するでしょう。

大事なことは、親が教えて上手にすることではなく、速く泳ぎたいかどうか、子どもが自分で決める自由を大切にすることだと思います。これは、言い換えると「泳ぎが下手なままでいる自由」を尊重するということでもあります。

プールで指導しているのは、お父さんやお母さんだけではありません。帰省してきた孫を連れて来ているのでしょうか、三、四歳の子どもを、熱心に指導している祖父母にも時々出会います。子どもはきゃっきゃっとはしゃいでいるのですが、お祖父《じい》ちゃんは「さあ今度はここまで来てごらん、ほーらもう少し、頑張って、あーすごいね、頑張ったね、できたね」とおだてて褒めて、孫を少しでも前進させようと一所懸命です。まさに「這《は》えば立て、立てば歩めの親心」ならぬ祖父心ですが、幼い子どもはもっと純粋に遊ばせてやれば良いと思います。

まだ幼いのだから、頑張らなくても良いというのではありません。幼い子どもにとっては、楽しむこともまた、頑張ってやっていくべき仕事なのです。泳ぎが上手くなることよりも、まず水の中にいることを楽しめること、それが先にやるべき仕事だと思うのです。

【例】 二十代の男性Aさん。仲間と一緒に海に遊びに行った。着替えを済ませたAさんは、一人黙々と準備体操をしてから海に入った。Aさんは一人で岸から少し離れた波の立たないところまで行き、非常にきれいなフォームで、これまた黙々と岸と沖の間の往復を繰り返した。他の仲間はただ呆《あき》れて、Aさんが泳ぐ姿を遠くから見ていた。

水泳は競技でもありますが遊びでもあります。ごく一部の競泳選手を除いて、ほとんどの人にとっての水泳は、体力作りのツールであるかレクリエーションのためのものでしょう。水で楽しむことだって簡単ではないのです。

水という舞台設定で仲間と盛りあがるには、コミュニケーションに似たスキルが要求されると思います。幼い子どもにただ「少しでも速く少しでも遠く」だけを教え込もうとする大人は、目に見えるものを求めすぎていると思います。

遊ぶことや楽しむことにも重要な意味がある、ということを忘れてしまっては、いくら子どものためにと一所懸命努力しても、結果としては子どもの幸せに結びつかないかもしれません。

子どもが自分のペースでいられることの大切さ

【例】三十代の父親。とある日曜日のこと。七歳の息子に「キャッチボールしよう」とせがまれて、近所の公園にきた。父親は中学まで野球をやっていたので基本はできている。つい子どもにグラブの構え方、ボールの握り方などについて細かく指示してしまった。はじめのうちは「僕のボールはすごいよ！」などと、やる気満々だった子どもが、十分もしないうちにしょんぼりしてしまい、「もうお家《うち》に帰る」と言い出した。父親は「やりすぎた」と思ったが時すでに遅し。次の日曜日、息子をキャッチボールに誘ったが「絶対いや！」と無下《むげ》に断られてしまった。

この父親のような失敗をする親も多いでしょう。けれども、この父親が少し救われていると私が感じるのは、子どもが父親に対して不快感をはっきりと表現できている点です。

親の立場からすると、自分のアドバイスを「素直に」受け入れてくれたほうが気持ちが良いものです。しかし、この例では子どもは「上手くなる」前に「まず好きになる」ことが自分には大切だ、ということを正直に父親に伝えてくれているのだと、私には思えます（7章をご参照ください）。

この父親は「子どもは自分を信頼してくれているのだな」と安心してよいと思います。

親はいつでも、自分が子どもだったらどう感じるかということを意識しておくことが大事です。そうすれば、たとえアドバイスしたら上手くいきそうなことを見つけたとしても、子どもがそのことで悩む機会を奪わない、子どもが自分でそのことを克服する喜びを奪わない、という選択肢があることに気がつくことができるはずです。

子どもに下手なままでいさせてあげること。子どもが自分のペースで試みて失敗して、そして自分で立ち直っていくという体験の大切さ。これらはみな、親が余裕を持って（子どもを信じて）、子どもを見守る姿勢でいることの賜物《たまもの》なのです。

そして、親の方もまた、自分があえて口出しをしないことで、子どもが失敗をして、そして子どもなりに立ち直っていくことを見守るという体験を積み重ねて、子どもを信じるということの意味を、身をもって学んでいくことができるのです。

41　子どもは「嬉しい」や「悲しい」をどう学ぶのか

言葉はどうやって覚えるのか

そもそも子どもは、言葉をどうやって覚えるのでしょうか。

たとえばみかんを食べながら、「これがみかんよ」と教えてもらえれば、「みかん」という言葉を覚えられます。それは、みかんの見え方、触れた感じ、味、香りなど感覚を通して捉えたイメージに、「みかん」というラベルがつくことだと言えます。

イメージは、視覚だけではなく、聞こえ方（音のイメージ）や触れた感じ（触覚のイメージ）、そして、どう自分が扱ったか（運動のイメージ）など、自分がそのものをどう捉えてどう働きかけたかをも含みます。

さらに、美味《おい》しかったかどうかなど、価値判断や感情までも、そのラベルには含まれます。

そして、その言葉がさすものによって引き起こされる感情もまた、そのラベルに含まれるということは、「ムカデ」や「ゴキブリ」などの言葉を聞いたら、どんなものが心に浮かぶかを考えてみると、簡単に理解できるでしょう。

それでは、見たり触れたりできないもの（こと）の名前は、どのように学ばれるのでしょうか。

高田馬場の思い出

私の一番古い記憶の一つに、「高田馬場《たかだのばば》」をめぐる思い出があります。おそらく三歳半頃のことです。当時私は両親と東京の郊外に住んでいました。父親が勤務していた会社は高田馬場にあったので、「タカダノババ」という言葉はよく聞いて知っていました。ある時、私は母親に連れられて山手線《やまのてせん》に乗っていました。電車が高田馬場についた時、母親が「ここがパパが働いている高田馬場よ」と言いました。私は窓から外を見ましたが、ホームにいる人々や建物が見えるだけで、「タカダノババ」らしきものは見えません。「どれがタカダノババ？」私は必死でたずねますが、母は「ここ、ここがそうよ」と答えるだけでした。その後の記憶はあまりないのですが、母によると、電車が動き出し、タカダノババを見つけられなかった私は、「どれがタカダノババ～!?」と、混んだ電車の中で泣きながら、絶叫し続けていたそうです。

目の前に置かれた地図の上で塗り分けられた国の名前を理解することは、それほど難しいことではありません。しかし、ある広がりを持った空間というものに名前があるということを、子どもが理解できるようになるのはかなり成長してからのことです。

私の次男は、小学二年生になっても、自分の住んでいるのは、木津川《きづがわ》市なのか、京都府なのか、日本なのか、その使い分けの区別がついていませんでした。

このように、ある約束事があり、その約束に基づいて、同じ場所でもいろいろな名前で呼ばれるらしいということを理解できてはじめて、地名というものは習得されるものだと言えます。

これと同じように、「私」や「あなた」、「ここ」や「あそこ」という言葉も、状況や位置関係によって入れ替わるので、子どもが習得することが難しい言葉とされます。

しかし、説明の難しさという点で考えると、感情の言葉を習得することは、それよりもはるかに難しいと言えます。まず、自分の心がさまざまな状態になる、その状態に、それぞれの感情を表す言葉のラベルがつけられます。さらに、その状態を記憶して再認できないと、対象として認知できませんし、その言葉を聞いた時、それに対応する自らの心の状態を想起できないと、言葉の意味が分かりません。

感情を表す言葉はどのように習得されるのか

感情を表す言葉がさしている内容には、当たり前のことですが、見ることも触れることもできません。したがって、そもそも、ラベルをつけること自体がたいへん難しいはずです。

ところが、ご存じの通り、子どもはかなり早い時期にこれらを次々と習得します。それは、これらの言葉が生きていく上でいかに大切であるかということを表しているとも言えます。

ハインツ・コフートという心理学者は、感情を表す言葉の習得について、「嬉《うれ》しい」という言葉を例に、次のような説明をしています。

幼い子が、トランポリンの上でぴょんぴょん跳ねている情景を想像してみましょう。子どもは得意満面の笑顔で「ママ！　見て～！」と母親を呼んでいます。母親は子どもと同じように笑顔になって、子どもに関心を向けます。「わー！　嬉しいね！　○○ちゃん！　嬉しいねえ！」と子どもの名前を呼びます。子どもはこのような状況で、身体が動いている感覚、動いて見える景色、母親の笑顔（これは自分の表情でもあります。母親は鏡の役割も果たしています）、自分に向けられた母親のやさしいまなざし、自分の名前が呼ばれていること、そして、自分の心の中に起こっている感情、その他、いろいろな自分の内と外で起こっていることを全体的に味わって、これが「嬉しい」ということなのだと、統合的に学ぶのです。

いかがでしょうか。「みかん」という語を学ぶ場合と比べると、その複雑さがよく分かると思います。言葉の分かるロボットを作るとすれば、このような「感情を表す言葉」を学習させることが、いかに難しいことであるかということもよく理解されるでしょう。

子どもはこのような形で無数の状況を体験して、さらに「楽しい」「気持ち良い」「わくわくする」などの微妙な違いも学んでいきます。

このように、適切な状況や場面で、親が子どもに関心を示して、子どもの体験している（であろう）感情について、正しい言葉をかけてやらなければ、学習は上手《うま》く進みません。

右の例は、分かりやすく説明するためのものですが、実際に感情を表す言葉を子どもが学んでいく機会というのは、すぐに見逃されてしまうような、言われなければ気がつかないような、些細《ささい》な一コマとして、日常の時間の中に散りばめられているものです。

【例】 わが家の四男が四歳の春のこと。保育園で同じクラスだったAちゃんが、他県に引っ越すことになった。Aちゃんの家は近所で登園時間も近かったのでよく一緒に歩いて通った。四男が元気のない朝など、Aちゃんはよく四男の手を取って一緒に歩いてくれた。Aちゃんの最後の登園の日、お昼過ぎに迎えに来られたお母さんとAちゃんを、クラスのみんなで見送ったらしい。その日の夕方、私が四男を迎えに行った時のこと。四男は私の姿を見つけると、いつものように元気に近づいてきた。リュックを背負って、先生にさようならを言い、自分の靴を取りに靴箱のところに行った。いつもは自分の靴を持って廊下を走っていくのだが、その日は靴箱の前でしばらくじっとしていた。そして「Aちゃんの靴がない。明日もAちゃんの靴はないよ。Aちゃんはもう引っ越したから」と無表情につぶやいた。話し方は悲しそうでもなく淋しそうでもなく、ただ淡々としたものだった。近くにいた私に向けられたものでもなかった。やがていつものように自分の靴をつかむと廊下を走っていった。すでに走っている時は笑顔だった。

この時、靴箱の前で四男の中に大きな喪失感が生じていたであろうことが、私にはひしひしと感じられました。幼い心は楽観的です。大人のように、いつまでもくよくよしたりはしないのでしょう。それでもふとした場面で、喪失の感覚が呼び覚まされるようです。

四男はそれまでも家庭での会話の中で「悲しい」とか「淋しい」という言葉を使っていましたが、ほとんどは、親との関係で自分の望みが叶《かな》えられなかったり、一人ぼっちにされたりした時に使われていました。

この日、ずっと仲の良かった友だちともう二度と会えなくなることが、その子の靴がなくなった靴箱の前でふと実感された時、四男の心には間違いなく、「淋しい」という言葉にぴったりの状態が訪れていたはずです。

それでも、これが淋しいってことなんだ、と知らなければ「淋しい」と言うことはできないのです。このような時に、「もうAちゃんは来ないね、淋しいね」と側《そば》で共感してくれる大人がいれば、子どもは「淋しい」という言葉を身体で理解していくのでしょう。

自分の気持ちが分からない――アレキシサイミアの苦しみ

たとえば「危ないよ」と親が言ったのに、子どもがそれを聞かずに転んだとします。そのような時、親は「あーあー。痛かったねえ」などと、やさしい言葉をかけて子どもを抱き締めてやるべきです。しかし、現実の場面ではそれはなかなか難しいことのようです。多くの親が、「だから言ったでしょ！」とか「もう泣かないの！」などと声をかけてしまうのです。

これは、親が子どもに過剰に共感しているがゆえに、子どもと同じように辛さや痛みを感じており、けれども、それから逃避したいがために、それを責める側に立つことで楽になろうとしている（「攻撃者への同一化」）とも考えられます（29章をご参照ください）。

なにか辛いことがあって泣いている時や、しょんぼりしている時には、子どもは、親から（もしくは信頼できる大人から）「悲しいね」とか「淋しいね」などといった声をかけてもらって、側にいてもらうべきです。

ところが、そのような時に「めそめそするな！」「なんでそんなに暗い顔をするの！」等々、厳しい言葉しかかけられなければ、その子どもは「悲しい」とか「淋しい」などの言葉を習得する機会を失うことになります。

ひょっとすると驚かれるかもしれませんが、実は大人の中にも、かなりの割合で「悲しい」や「淋しい」という言葉の意味が分からない人がいます。そのような人は、悲しいという言葉の辞書的な意味は答えることができます。しかし、たとえば「最近あなたが悲しかったのはどういう時ですか？」という質問に上手く答えることができないとか、もしくは、それを聞いた人のほとんどがその悲しさに共感できないような、単純な出来事についてしか話せなかったりします。

このような感情の認知の障害（自分の感情に気がつくことができない）を、アレキシサイミア（失感情症《しっかんじょうしょう》）と呼びます。そして、当然のことですが、このような人は相手の感情についても理解することが苦手です。

なお、この状態は感情がないこと（無感情）とは違います。本人の心の中では、心はちゃんと動いているのです。ただ、自分の心が動いていることを本人が意識できないし、その状態にどのような名前をつけたら良いのか（それをちゃんと学べる機会がなかったなどの理由で）分からないのです。

「そんなの平気でしょ！」と言われてしまうと

幼い子どもにとって、トイレはなかなか怖いところのようです。全然怖がらない子どももいれば、五歳になっても一人でトイレに行けない子どももいます。

もしも、トイレを怖がっている子どもに対して、親が、「もう大きいんだから怖くなんかないでしょ！」と言ったとすると、「怖くない」という親から押しつけられた言葉によって、子どもは怖いという感情や身体の状態を抑え込むようになっていくでしょう。

そうすると、身体は怖いと言っているのに、頭はその「身体の言葉」を無視して、平気を装うようになります。大人から見ると、注射で泣かない子や、一人で眠れる子は、しっかりしている子ということになります。私は外来診察で子どもに予防接種をする機会も多いのですが、「怖い」とか「いやだ」と言わない子は、親や看護師さんから「えらいね！」と褒められます。

けれども、子どもが、自分から我慢できるようになったのなら良いのですが、なかには、弱音を吐くことをまったく許さないかのような圧力をもって子どもに接しているような親もいます。

幼児期に、本当は怖いのに、怖いと言うことが許されなければ、将来大きな問題を引き起こす可能性があります。相手にいやだと伝えることや、痛みや怖さから自分を守る力が育っていないと、いじめの対象になりやすいことも予想されます。また、仕事や家庭における相手との関係で、自分の不満や苦痛を伝えることが不得意な人になっていくことでしょう。

「美味しい」や「不味い」も同じこと

かつて『児童心理』という雑誌の食育に関する特集号（二〇〇五年四月号）で、生まれてはじめて食べる食べ物を前にして「お母さん、僕ってこれ好きかな？」とたずねた子どもの話が紹介されていました。先に説明した「嬉しい」をどう学ぶかと同じことですが、子どもがはじめて食べるものを口にする時、親は子どもの仕草や表情を見守ってやるべきです。その表情から子どもが「美味しい」と感じているか「不味《まず》い」と感じているか分かるはずです。

その時に、子どもと同じ表情をして「美味しいね？」とか「美味しくない？」などとたずねてやることによって、子どもは自分がどのように味わったか、その体験に言葉のラベルをつけることができるようになるのです。

わが家の子どもたちの食事の場面でも、祖父母が一緒にいる場合などとくにそうですが、なんでも残さず食べたら「えらいね」、たくさん食べたら「すごいね」、というような声しかかかりません。

しかし、不味いと感じたものを不味いと言うこと、もういらないと言うこともまた、同じように大事な表現です。幸い、彼らは「野菜も食べないと元気になれないよ」と言われると、ただちに「中田英寿《なかたひでとし》も元マリノスの久保竜彦《くぼたつひこ》も、野菜全然食べへんけど、すっごい元気やで！」と意気揚々と言い返します。末っ子は中田英寿が何者かさえまったく知らないのですが、この台詞《せりふ》は得意技です。彼にとってナカタは嫌いな野菜を食べさせられるピンチから救ってくれるヒーローなのです。

適切な食欲や食事量を身につけていくためには、昔のように「好き嫌いなくなんでも食べる」「たくさん食べて大きくなる」というような単純な価値観だけでは上手くいかないように思います。

42　子どもをやる気にさせる

やるのは子ども

ここで書くのは「こうしたら子どもはやる気になります！」というノウハウではありません。そうではなく、やる気のあるなし、やろうと思うか思わないか、といったことまで親がなんとかしようと考えること自体が、そもそも間違いなのではないでしょうか、という話です。

二〇〇八年北京オリンピックの直前、競泳で好記録の出る水着が問題になっていた時、北島康介《きたじまこうすけ》選手が「泳ぐのは僕だ！」と書かれたTシャツを着ていたことがありました。

勉強もスポーツも習い事も、やるのは子どもです。

【例】　中学三年生男子の母親。夏休みを前にして、子どもが受験勉強を真剣にやる気があるかどうか気になっている。陸上の大会に朝早く出かけていこうとする子どもとの会話。母親「今日の大会、バスで遠くまで行くんでしょ。行き帰りに読めるように社会の参考書でも持って行ったら？　向こうで待ち時間も長いやろうし」。子ども「えー⁉︎そんなことしてる奴、おらへんて」。

母親から見ると、受験が唯一最大の目標となっています。しかし、子どもにとっては、受験の準備は、他のいろいろなやるべきこと（部活や友だちとの遊びなど）の一つにすぎません。母親の頭の中は「少しの時間も無駄にしないで欲しい」という気持ちで一杯ですが、子どもの方は部活も終わりが近づいてきており、大事な大会で仲間と過ごす大切な時間に、参考書を持ち込み一人で暗く読むなんて考えられないことでしょう。

それでも、この親子のやりとりに健全さが感じられるのは、母親が命令していないところ、そして、子どもがはっきりと拒否の表現をしているところです。

けれども、受験のために親が子どもに命令して、部活を辞めさせることすらあります。親曰《いわ》く「子どもと話し合って」テストの成績が上がるまで休部することにした、などという話は珍しくありません。そういった場合に、親は「子どもが自主的に目標を決めた」と思っています（そう思いたいのでしょう）が、子どもは「押しつけられた、しかし逆らえない」と感じていることが多いものです。

逆に、子どもがそう感じていないとすれば、たとえば「ありがたいな、お母さんは自分のためにこんなに一所懸命関わってくれて……」などと感じているとすれば、その子どもは自立を放棄している可能性が高いでしょう。あるいは、もっと不健全な関係であれば、塾通いを優先させるために、そもそも部活などはやらせてさえもらえない場合もあります。

いつまで指示できるか

【例】　小学二年生と幼稚園年長の姉妹。ピアノを習っている。姉妹はともに、毎朝三十分練習することを、母親と「約束」した。三十分練習しないと、朝ご飯を食べてはいけないことになっている。七時からのご飯に間に合うように、六時前から練習をする。診察室で姉に「ピアノは楽しい？」とたずねると、すぐには答えず「分からない……」と言った。

このぐらいの年齢であれば、まだ尻を叩いてやらせることができるでしょう。食事抜きよ！　という脅しも、ぎりぎり効果があるかもしれません。

けれども、これは立派な虐待だと私には思えます。このような仕打ちが続くと、子どもに「ヒステリー」と呼ばれる症状が出てくることがあります。ピアノを習っている女の子に多いのは「目が悪くなって楽譜が見えなくなった」とか「手が痛くて指が上手《うま》く動かない」という愁訴《しゅうそ》です。外来診察ではちょくちょく出会います。

子どもは、意識的に反抗すること（「いやだ！」と口に出すなど）が許されていない時、無意識のレベルで反抗します。その場合、体が言うことを聞かなくなります。男の子の場合は、チックが出てくることが多いようです。目をぱちぱちしたり、急に変な方をじろっと見たり、鼻をフンフンならしたり、ため息を何度もついたり。これらは子どものＳＯＳです。

【例】小学四年生の男の子の母親。子どもはサッカーをしているが「高校受験で苦労したくないから」という「子ども自身の」考えで、中学受験の塾に通い出した。母親は次のような心配をしている。「五年生になると塾の時間も増えてくるし、サッカーを辞めないといけないだろう。あんなに好きなサッカーを辞めてまで、勉強を頑張って、もしも志望校に合格できなければ、あの子には逃げ道がなくなってしまう！ それが怖い」。不合格になった場合に、言い訳にするためにも、少しだけサッカーも続けておくべきかどうか、これまた母親曰く「子ども自身が」悩んでいるとのこと。

小学校高学年でもまだ素直な子どもなら、親を喜ばせるために、親の心を汲み取って、親が喜ぶことを、自分からすすんでやろうとするでしょう。子どもを自分の思い通りにさせようとする親は、自分の言うことをよく聞く子を素直だと思うようです。しかし私が思う「素直な」子どもは、いやなものはいや、したくないことはしない、とはっきりと言える子のことです。挨拶が苦手な子は素直な子が多いと思います。

さて、親はいつまで子どもに言うことを聞かせ続けることができるでしょうか。

【例】高校生男子の母親。高校生の息子に彼女ができた。その彼女と毎晩長電話するようになり「成績が下がるのではないか」と気に病んでいる。息子に何度かそれとなく注意したが、息子は不機嫌になるだけで長電話はあらたまらない。母親は、とうとう思い切って息子に内緒で息子の彼女に電話をした。「あなたがもし息子のことを大切に思っているのなら、そしてこの先も長くおつきあいしてくださるつもりなら、長電話で彼の時間を無駄にしないで欲しいの。彼の成績が下がって、良い大学に行かれなくなったら、就職だって良いところには決まらないでしょうし、そうしたらお給料も悪くなる。あなたが奥さんになってくださるつもりなら、夫の給料は高い方が良いでしょう」。

この母親は、このような自分の行動の滑稽さや異常さには、まったく気がついていない様子でした。自分がいかに子どものために、言いにくいことも他人に伝えて頑張っているかということに満足すらしていました。

もっと子どもが大きくなっても親の指導が続く場合があります。

次の例の母親も、自分のやっていることをもし他人に批判されても、「子どものためを思ってやっていることのどこが悪いのか」とまったく理解できないでしょう。

【例】 七十歳の女性。娘夫婦は子ども二人の四人家族で離れた県に住んでいる。彼女は娘に時々長いＦＡＸを送る。ていねいな手書きの文章がびっしり書かれている。衣替えで気をつけること、引っ越しでの注意点、夫の実家に帰る時の注意点、などトピックはさまざまである。最近送ったのは「英語の勉強の仕方」。それは娘に宛てたものではなく娘の夫（婿）に宛てたものだった。「○○さん（娘の夫の名）の会社は主任になるのにＴＯＥＩＣは七五〇点が必要だそうですね。去年は七〇〇点に届かなかったと言っておられたけれど、今年はお勉強の進み具合はどうですか。私は時間があるので少しでもお手伝いをと思って、いろいろ情報を集めてみました。少しでも参考になればと思います」と書き出されたＦＡＸには、いろいろな勉強方法や試験の傾向、通信添削の紹介などが詰め込まれていた。最後は「○○さんは、お家でテレビを見る時間が少し長すぎるように思います。かわいい娘たちのためにも、テレビはしばらく我慢なさって良い成績をとってください。応援しています」と結ばれていた。

「近すぎる親」と子ども、現実の三者関係という図式で説明したように（12章）、このような親は、自分と子どもの境界がなくなってしまっています。

子どもをやる気にさせるには、まずは子どもと親が離れなければなりません。そうしないと、子どもは、自分のために自分でやることが、そもそも不可能です。

実はこの章で紹介したような親たちは、自分が子どもと離れたくないために、子どもが自立していくことを怖れているとも言えると思います。「私のかわいい子どもは私が守ってあげなければ、導いてあげなければ、必ず失敗する。そして、失敗に耐えられるほど強くない」と信じることで、子どもの自立を邪魔することを正当化しています。

繰り返し書きますが、親がすべきことは、子どもが失敗しないように先回りすることではありません。失敗やつまずきは必ず誰にでも起こります。子どもがつまずいた時、子どもが立ち直ることを信じ、またチャレンジできるように支えて見守ってあげることが重要なのです。

43　自分の意見を言える子どもはどうやれば育つのか

自分の話を聞いてもらえた子どもは、自分の意見を言える人になる

自分の意見を言える子どもは、どうすれば育つのでしょうか。それは、小さい頃から自分の話をしっかりと聞いてもらえた子に違いありません。

自分がなにを言いたいのか、それをきちんと話すということは、実は大人にだってかなり難しいことです。ましてや、子どもは練習の途中です。「要するに、なにが言いたいの⁉」のような言葉で急《せ》かされては、上手《うま》く話せないのは当たり前です。言い間違えても、話が少しそれても、辛抱強く聞いてもらうことが重要なのです。相手が（親が）自分の話に興味を持って聞いてくれていることが、子どもが話を続けるための一番の勇気の源になります。そうやって聞いてもらえた体験を多く味わった子どもは、「相手は自分の話を聞いてくれる」「自分は上手く話せる」というような自己評価を持つことができるようになるでしょう。そして、相手の話を聞くことも上手になるでしょう。

このようなコミュニケーションの力は、テストなどで簡単に測ることができませんが、子どもが将来生活していく上で、その子を支える重要な機能になります。

自分の話を聞いてもらえた子どもは、相手の話を聞ける人になる

相手の言うことをちゃんと聞ける子どもは、「親の言うことを素直になんでも聞ける子（聞けるようにしつけられた子）」ではなく、「自分の言うことをちゃんと聞いてもらった子」なのです。聞いてもらえた子が、人の話も聞けるようになります。

同じような関係は他にもあります。やさしくしてもらったら、やさしくできます。信じてもらえたら、信じてあげられます。相手の言うことをちゃんと聞けるという段階の前に、まず、自分の言うことをちゃんと聞いてもらえるという体験があるのです。

幼い子どもが「ママ～！」「パパ～！」と呼んでなにかを見てもらおうとしたり、話を聞いてもらおうとする時、子どもはそうしてもらうことが自分に必要だと知っているのです。「話を聞いてもらう」ということは「関心を向けてもらう」とか「愛情をかけてもらう」と同じことです。

子どもに「愛情をかける」にはどうしたら良いか、その具体的な方法が「話を聞いてあげる」とか「関心を向ける」ということなのです。だからこそ、関心を向けないこと、無視すること（ネグレクト）が虐待になるのです。

【例】 夜尿症の小学生男子の父親。父親は「人の話をちゃんと聞けないと将来困るぞ」と子どもにしつこいぐらい言って聞かせているという。「これだけ毎日言ってきたのに、息子はもうすぐ中学生になるのに、先日も学校の面談で、先生や友だちの話を全然聞いてないようだと言われました」と診察で嘆いていた。「では、お父さんが息子さんの話をじっくり聞いてあげたことはありますか？」と私がたずねると、しばらく考え込んでから「私の覚えている

かぎりで、あの子がなにかをちゃんと私に話したことはないように思います」と答えた。

この父親は育児に積極的に関わっています。それだけに「授業中に先生の話がちゃんと聞けていません」というような連絡を学校からもらうと、子どもの将来が心配になり「子どものために」と説教をしてしまうのでしょう。

君のことを思うとお父さんはいつも勇気が出るよ

もう一組、同じような父親と子どものケースを紹介しましょう。

【例】小学一年生の男の子。落ち着きがない、人の話が聞けないと、いつも先生から注意されている。父親は毎朝子どもをバス停まで歩いて送っていく。その道すがら父親は、ついつい学校での態度について注意をしてしまう。その日の朝も、「人の話をよく聞きなさい」「返事はすぐにせなあかんよ」「○○（息子の名前）は人の話を聞くのが苦手みたいだから」「普通のことを普通にできないといけないよ」などと、いつものように注意をしながら歩いていた。すると子どもが突然、「お父さん、僕って脳がおかしいの？」と言った。父親は「脳がおかしいということではないよ。人にはそれぞれ苦手なことがあるやろ……」と、なんとか返したものの、子どもからそんなことを言われてびっくりした。

子どもにしてみれば、毎朝同じことを言われるのはなぜだろうと思っているでしょう。しかも大好きなお父さんが、一所懸命自分に言うのです。自分はどこかおかしいのだろうか、と思っても不思議はありません。

しかし、脳がおかしいのであれば、このような鋭い質問を父親に返せるわけがありません。このケースでは、父親に次のようなアドバイスをしました。「どうせ先生からいろいろと「しょうもない」注意をされているのだろうから（ここだけの話ですが、そんな小さい子につまらん小言を言い続けて親にも告げ口するような先生は「絶対に」しょうもない先生です）、せっかくお父さんと歩く時間には、彼が元気がなくなるようなことは一切言わないようにしてあげてはどうですか」と。

その代わりに、「子どもなんだからすぐに返事ができなくても良いよ」「人の話なんか聞けなくても、「普通」にできないことがあってもかまわないよ」「今の○○で良いんだよ」と毎朝言ってあげる方が良いですよと話しました。人の話を聞くことは、やがてその子のペースでできるようになるでしょうし、大人でもできない人は一杯いるのですから。実際に、医師や教師や政治家など「先生」にはとくに多いのです。それでも彼らは平気で暮らしています。

そして注意したくなったら、その言葉を呑《の》みこんで、代わりに「○○が生まれてきてくれて嬉《うれ》しかったよ」「父さんは○○のことが大好きだよ」「今のままの○○で良いよ」「○○のことを考えると、どんな時でも父さんは勇気が出るよ」など、そういう言葉をかけてあげましょうよ、と話しました。

話しているうちにその父親の目から涙がこぼれました。私ももらい泣きしてしまいました。誰だって「子どものために」と声をかけているのですが、時にそれらの言葉が子どもの元気を奪ってしまっていることがあるのです。

この面接のあった日は、私も早く帰って子どもに会いたくて仕方がありませんでした。仕事が終わって家に帰るとすぐに、子どもにこのような言葉をかけました。

涙が出るほど幸福になったのは私の方でした。やさしい言葉をかけるのも、欲しがっているものをあげるのも、子どもがなにか良いことをした時のご褒美ではなく、なんでもない時に惜しみなく与えれば良いのです。それは子どものためでもあり、そして親自身の幸福のためでもあるのです。

44　見守る

計算されたリスクをおかせ

高校の英語の授業で習った格言に、Take calculated risks. というものがありました。これは「計算されたリスクをおかせ」ということですが、自分の育児や診察において子どもに向き合う際にも、私はしばしばこの格言を思い出し、反芻《はんすう》してきました。

子どもは、親やその他の大人が調えている家庭や学校という守られた環境で、いろいろな失敗をして、そこから立ち直ります。外の世界と比べればある程度安全な環境で、他人（親やきょうだい、クラスの仲間や先生）と衝突し、その感触を体験することは、まさに「計算されたリスク」をおかしていることになります。

「かわいい子には旅をさせよ」とか「子どものけんかに親は口を出すな」などの格言も同じようなことを言わんとしているものと思われます。

子どもが、適度な困難に出会うことや少々痛い目に遭《あ》うことは、彼らにとって重要な体験です。親は子どもが安全に失敗できるように、そしてリアルにその体験を味わえるように、できるだけ邪魔をしないように気をつけながら、子どもを見守らねばなりません。

保育園の坂道のこと

たとえば、子どもが怪我をしないように見守るのは親の役目です。ハイハイで子どもの移動がはじまり、やがて歩きはじめます。子どもに向ける親の注意も、子どもの動く範囲に合わせて広がっていきます。

ドアで指を挟んだりしないか、窓から転落しないか、道路に出てしまって車に轢《ひ》かれないかなど、子どもが痛い思いをしたり、命を落としたりしないようにと、親はつねに気を配るようになります。

わが家の子どもは四人ともみな近所の保育園で育てていただきました。夕方保育園に迎えに行くと、しばしば見られる光景があります。玄関を出てから駐車場までの二十メートルほどは舗装されており、ゆるやかな下り坂になっています。そこで子どもは大体はしゃいで駆け出します。坂になっているので、平地で走るよりもスピードが出ます。その不思議な感じやスリルが子どもは大好きなのです。二歳ぐらいの子はよく転びます。三歳になるとあまり転ばなくなってきます。二歳ぐらいだと、転んでもさほど大きな怪我はしません。二歳の子はまだ足が短く重心が低いからです。スピードも出ません。大人と比べてダメージが少ないのです。しかし、ほとんどの親は子どもが駆け出すとすぐに「走ったらダメ！転ぶよ！」と声をかけます。子どもは走り出すのをあきらめることもありますが、なかには言うことを聞かずに走り切る子もいます。そして転ぶ子もいます。転んで泣いている子に親は近づいて「走ったらダメって言ったでしょう」というような言葉をかけます。

親が注意しないと子どもは転び続けるのか？

はたして親が注意しなければ、子どもは何度でも坂を駆け下りて、毎日転んで膝《ひざ》や肘《ひじ》や手をすりむくでしょうか？　わが家の場合は、とくに注意しません。そして、どの子も坂を駆け下りていましたが、そんなに続けて転ぶ子はいませんでした。他の子どもを見ていてもそうです。最初に二、三回転んで、膝やら肘やら手の平やら、たまに鼻や額をすりむいたりして大泣きします。やがて坂のはじめから速度を抑えようとするようになります。ほとんどの子は、少し後ろに身体を傾けて走るようになります。頭でそうしたというよりも、彼らの身体が学んでいるようです。

走ったらダメと強く言われその言いつけを守っている子も、何度か転んで転ばない走り方（歩き方）を身につけた子も、転ばないということは同じです。言いつけを守っている子は頭で分かっただけであり「走らない」から転ばないだけのことです。

けれども、転んだ末に転ばない走り方を習得した子は、身体が（手や足が）坂道というものをよく分かっています。この違いは大きいでしょう。それはただ単に転ばない走り方が分かったというだけではないのです。

見守ることの難しさ

とはいえ、頭では分かっているつもりでも、見守るというのはなかなかたいへんなことです。

【例】わが家の末っ子が四歳の頃のこと。彼はご飯にふりかけをかけて食べるのが好きである。朝の食卓での出来事。食卓についてから、ふりかけを食べたいと言い出し、自分で引き出しからふりかけの袋を見つけてきた。ハガキ大より少し大きなふりかけの袋、数回分が入ったタイプである。

親（私）――なにも言わず見守る。

子どもが持ってきたのは、すでに開封されたものだったが、開け口がジッパーになっている袋は、四歳児には開けるのが難しい。開けようとして袋の上端をつまもうとするが、ジッパーの上の部分もピタリと合わさっていて、指を入れるすきまがない。

親――どこに指を入れれば良いか、一所懸命探しているのを見ていると、代わりに開けてやりたくなるが、そう思っている自分のことを意識しながら、子どものチャレンジを見守る。

かなり長いこと頑張っていたがとうとうあきらめた。不機嫌になることもなかった。「開けて」と親に袋を渡してきた。親は、袋の上端の部分をたわめて指が入るように折り曲げ、子どもに渡すと、子どもはジッパーを開けることができた。袋の口を開けて持ち、ご飯にかけようとしている。

親――「たくさん出るから気をつけて」と言いそうになるのを我慢して見守っている。

袋を少し傾けても出てこない、だんだん傾けて……、親の予想通り、突然どっと中身のほとんどが出て、ご飯の上にてんこもりにかかってしまった。「あーっ」とこちらを見る。親も「出ちゃったなぁ」とだけ返す。

親――「ダメやろ！」とか「あーあ……」などと非難するような言葉を発しないように我慢しつつ、こっそり子どもの表情を見ている（子どもの顔は驚きから少し困惑した感じに変わっていく。自分の行為の結果を自分のことととして困っているのである。親に叱《しか》られる、と心配しているのではないことに注意。自分の身に起こった困った出来事として体験しているのである）。

子どもは「（袋に）戻して」と、親に空になった袋を差し出した。茶碗を傾けてふりかけの山を袋に戻したが、それでもどっさりごはんの上に残った。

親――自分の茶碗にご飯と一緒に少しだけ取って、子どもに茶碗を戻すと「ありがとう！」と言った。

このように、見守るのは本当に難しいことです。「傾けすぎたら、どっと出ちゃうから、とんとんって叩きながら、少しずつかけるんやで」などと「正しい方法」をすぐに説明したくなります。しかし、そういう説明は、たいてい子どもにとってうっとうしい（ウザい）もののようです。自分が子どもの時になにかに失敗して、大人に「こうすれば良いんだよ」といったお手本を見せられうんざりしたことを、大人になるとすっかり忘れてしまうのはなぜでしょうか。

子どもが自分でいろいろと試して、一番良いやり方を見つければ良いのです。いつまでも失敗する子はいないし、ふりかけは安いものです。出すぎたら戻して使ったら良いのです。

「こぼしたらダメ！」とか「ほら、またこぼした！」などと横から雑音を入れると、せっかく自分で自分のためにやっている行為から得られるもの（集中力や達成感、修正すること、工夫すること、など）を奪ってしまうことになります。

たかがふりかけです。しかし、四歳の子どもにとっては、自分のしたいことを、きちんとやりたい、という意味で、その重要さは、たとえばピアノの発表会にのぞむ状況と少しも変わりません。

親は余計な雑念があるので、それらは大切さの度合いが全然違うと思ってしまいます。しかし、子どもにとっては、真剣な体験のチャンスなのです。

子どもが大きくなっても親はなにか言いたい

それでも、たとえばこんなこともありました。三男が小学六年生だったある週末に、私と三男の二人で四国の私の実家に車で行った時のことです。

三男はとくに用はなかったのですが、ついてきてくれた感じでした。実家近くの本屋に寄った時に、彼が、「来月の小遣いを先にもらってもよいか」と言ってきたので渡してやりました。六百円でした。それで彼は『週刊少年ジャンプ』を買ったのでした。私は、それでは小遣いの半分近くがなくなってしまうではないか、そんな小遣いの使い方で良いの？　などと聞いてみたくなりましたが、黙っていました。自分が子どもの頃と比べて、今の子どもたちは節約なんか気にしないのだな、でも、こんな感じで育っていって良いのかな、などと少し不安も感じました。こういうことはやはり、彼らのためにも言ってやった方が良いのだろうか、などとも思いました。

さて、実家についてから三男はしばらく漫画を読んでいましたが、やがて兄に電話をかけました。兄に電話とはめずらしいな、と聞くともなく聞いていると、「今週号はリクちゃん（次兄の名）が買う順番だったけど、僕が買ったので買わなくていいよ」と兄に伝えていました。

彼によれば、兄二人と彼の三人で『ジャンプ』を毎週順番に買うことに決めているとのことでした。もったいないということ、お金を大事にしようという思いなどは、私が子どもだった頃と同じではないにせよ、彼らの中にもちゃんと育っているのだと、それを感じて安心したのを覚えています。学校、友だち、テレビなど情報はたくさん入ってきています。親が口うるさく言ったり、褒めて導いたりしなくても、お金は大事ということぐらい知らないはずがないのです。

それなのに、小学六年生になっている子どもにさえも、「お小遣いを大事に使わないとなくなるよ」などと、本当に陳腐な小言を言いたくなるほど、親は子どもになにか言いたくなるものなのだと、あらためて思い知った出来事でした。今でも『ジャンプ』を見かけるたびに、その時のことを思い出します。

見守ることは放置するのとはまったく違う

幼い子どもが失敗をし、それを克服することを味わうこと。その意味は親の想像以上に深いものです。自分の判断で行って、結果が自分に返ってくるという体験。もしも、失敗しても、それを乗り越えられたという自信が身につきます。

そして、親にとっても、子どもが失敗しそうな状況で親が少し口出ししたら失敗しないで済むところを、あえて口を出さずに見守ることができたということは、育児の自信にもつながりますし、この先の親子の関係にとっても大きな意味をもたらします。

どのような状況であれば親は子どもを見守ることができるのか、子どもはどのように反応し、どのように立ち直っていくのか、などといったことは、親の方にしても、何度も何度も、それをリアルに体験しないと上手《うま》くできるようにはならないでしょう。

ところで、当然のことですが、手出しをせずに子どもを見守り支えるという態度は、放置する（ネグレクト）とはまったく異なるものです。

以前、ある場所で話をした後、聞いておられた方が、「先生の言われる「見守る」というのは、子どもが泣いたらすぐだっこしていると抱き癖がつくから泣かせっぱなしにしておく、そうすると泣かないようになるというのと似ていますね」とコメントをされたことがありましたが、それは全然違います。手出しをせずに見守ることは、なにもせずに放っておくことではありません。そうではなく、子どもが失敗してもそれを乗り越えていくことを信じつつ、子どもに関心を向け続けることです。

見守ることだって、頭で分かるのではなく、身体で学び取る必要があります。子どもが小さいうちにはじめるのが望ましいと私は思います。

45　アイスクリーム療法

子どもを元気にするかなり有効な方法

最後に、すぐに実践できる簡単でユニークな「子どもを元気にする方法」を紹介します。家の中を明るくする方法と言っても良いですし、小言を言う親への認知行動療法《にんちこうどうりょうほう》と言ってもよいでしょう。私が考案したオリジナルの方法です。なお認知行動療法とは、本人に問題を引き起こしている行動をあらためるだけでなく、ものの見方や考え方、感じ方などもより良い方向に修正していこうという心理療法です。

まず、スーパーでアイスをたくさん買ってきます。箱入りのものよりも単品のいろいろな味や形のものをまんべんなく買うのが、見た目にも楽しく効果的です。冷蔵庫の冷凍室が満杯になるように、最初は三十個ぐらい買ってください。それを、どさっと入れておきます。そして、「アイスはいつでも食べ放題だよ」と宣言するだけでＯＫです。

たくさんのアイスを見て、子どもは「おおーっ！」と叫びます。「なんでも食べて良いよ」と言うと、子どもはがさがさと選びはじめます。「変なの買ってきたなぁ！」とか「このアイス、すごい色やな！」などと言いながら楽しんでいます。

アイスはできるだけ多くの種類のものを買うこと

このようにいかにもシンプルな方法ですが、これを効果的に実施するためには、いくつか注意すべきことがあります。

まず、アイスを買う際に、大人が選ぶとつい「スーパーカップ」のようなかさの多いもの、それもバニラなどシンプルな味のもの、また「チョコレートアイスバー十本入り」といったような箱入りのものなどを選びがちです。

しかし、実際にやってみるとすぐ分かりますが、子どもが喜んで選ぶのは、量の少ないものや変な色や形をしたもの、どちらかと言えば大人が食べたいと思わないような外見をしたもののようです。

たとえば、いろいろな味の小さなアイスが袋に入った「アイスの実」、パウチ容器に入っていて捻《ひね》るキャップのついた「クーリッシュ」、ただの氷に味がついているだけの「アイスボックス」などは、大人の私は食べたいとも思わないアイスですが、うちの子どもやその友人たちには大人気です。

子どもは「たっぷり食べること」よりも「楽しく食べること」を求めているようです。時々ハーゲンダッツのミニカップなど値段の高いものを紛れ込ませておいても、それらは売れ残ることが多く、家内が食べているようです。

アイスを楽しんでいる時に小言を言わないこと

さて、たくさんのアイスを目にして、下の方にはなにがあるのかな、などと子どもが選んでいる時に「早く閉めないと溶けるよ！」などとけっして言わないことです。

わざと選ぶのに時間がかかるように、たくさん買って満杯にしてあるのですから。至福の時間を邪魔してはいけません。子どもの胃袋にアイスが入ることが目標ではないのです。手で混ぜてがさごそと音を楽しんで、決めたと思ったけどやっぱりやめて別のものにしたり、といったいろいろな行動も含めて、すべて子どもにとっては幸せな体験なのです。

わが家の冷蔵庫は一番下の段の引き出しが冷凍室です。息子の友だちの一人（小学六年生）が遊びに来てアイスを選ぼうとした時のこと。ざっと引き出して「うわっ！　一杯や！」と喜んだ次の瞬間に、さっと冷凍室を閉めました。その理由を聞いたところ、いつも家では冷蔵庫をすぐに閉めないので叱《しか》られている、いったん開けてざっとものの位置を見たら、すぐに扉を閉めるようにと言われている、のだそうです。そして、自分の取りたいものがどのあたりにあったか、その残像のようなイメージでもって確認して、気持ちを決めてからもう一度さっと開けてさっと取り出し、さっと閉めるというのです。

たしかに、そのようなエコロジカルな考え方も、子どもには教えていかないといけないことでしょう。しかし、その子が身につけさせられている行動と規範は、少し厳しすぎるものではないかと気になりました。

他にも、よくしつけられている子どもは、他の子がゆっくり選んでいると、「ほら、早くしないと他のアイスが溶けちゃうよ」などと大人のようなことを言ってくれたりします。

条件をつけないこと

また、親がよくやってしまう失敗は、「宿題が終わったら食べても良いよ」などと条件をつけてしまうことです。いわゆるご褒美というやつです。そのような方法は、宿題をさせることが目的であれば効果的かもしれませんが、アイスクリーム療法の趣旨とはまったく相容《あいい》れません。

アイスクリーム療法の目的は、なにかに対するご褒美などではなく、「無条件の幸福な時間の提供」なのです。学校やら塾やらで、いろいろしんどいことがあっても、家に帰って冷蔵庫の前に来れば中にはどっさりアイスがある、いつでもなんでも何個でも食べて良い、というこの感覚が、癒しの効果を生み出し、子どもを元気にするのです。

片付けは親がすること

子どもがアイスを楽しんだあとの片付けは、基本的に親がやってやりましょう。包装が床に落ちていても、スプーンが入ったまま空の容器がソファの肘掛けの上に放置されていても、黙って親が片付けてやりましょう。

これは、きちんと片付けができるためにアイスを食べるのではなく、リラックスするためにアイスを食べるという目的を徹底するためです。いつも「片付けなさい」などの小言を子どもに言っている親であれば、とくに効果的です。自分が散らかしたアイスの容器を親が黙って片付けてくれる。こんなに子どもを甘えさせてやるチャンスはなかなかありません。

そんなことをしたら子どもはつけあがって、いつも食べた容器や袋を放りっぱなしにするような子になるでしょうか？　ずっと片付けをしない子、できない子になってしまうでしょうか？

もうこれは、親自身の気持ちの変化も含めて、実際に体験していただくしかないので、是非やってみてください、としか言いようがありません。

ともかく、一週間もすれば、子どもにいろいろな変化が現れてきます。

子どもが太りませんか？

この方法を講演などで紹介すると、そこでよく出るのは「たくさん食べて太りませんか？」とか「夕食が食べられないようになるのではないですか？」などといった質問です。

私は自分の子どもたちに、この方法を数年にわたって実施しています。四人の子どものうち一人は太り気味ですが、彼はアイスクリーム療法をはじめる前から太っていましたので、関係ないと思われます。

また、私がおすすめして同じようにされている家庭も、何軒か知っておりますが、私が知るかぎりでは、そのような問題は起こっていないようです（ただし親が太ってしまった家はあるようです……）。

したがって、実際の体験から、「多分、子どもは大丈夫です」とお答えしています。

はじめのうちは、たとえば一日に五個食べたりすることもあるかもしれませんが、そのうちに落ち着いてきます。わが家の一番下の子が三歳ぐらいの時に、朝ご飯をあまり食べずにアイスを食べる日が続くこともあり、親にとっても「本当にこんなことで良いのか」と悩む試練の日々もありましたが、その子も今は五歳になり、朝ごはんもしっかりと食べ、元気はつらつです。

なんのためにやるのか？

もう一度確認しておきましょう。アイスクリームを食べ放題にすることの目的は、子どもに家庭でリラックスしてもらって、元気になってもらうためです。アイスを食べるという娯楽を、子どもに楽しんでもらうという方針を貫くことが、効果を大きくします。ちゃんと片付けられるようにというしつけは、他のいろいろな場面ですることができます。アイスクリームを食べることは、リラックスするため、家での時間を楽しむためであって、栄養のバランスをとるためや後片付けをきちんとできるようになるためではないと、けじめをつけることが必要になります。また、さっき食べたばかりなのに、また冷凍室を開けて物色しているような光景に出会っても「おい！　さっき食べたばっかりやろ！」といったような言葉をかけるのは、極力我慢しましょう。「商売繁盛、結構ですなぁ」というような、おおらかな気持ちで見守ることが大事です。今までなら絶対に注意されていた場面で、それが来ないこと、その体験にこの方法の重要な鍵があると私は考えています。

わが家の子どもたちを長いこと観察していますが、いくらアイスが好きでも食べたくない日もあれば、たくさん食べたい日もあるようです。

子どもが持っている自己制御の能力を信じる

子どもの食欲の制御能力を信じられない親はたくさんいます。生き物ですから（ロボットではないのですから）、あまり食べたくない時もあれば、たくさん食べたい時もあるのです。多くの親や祖父母は幼い子どもに、「もっと食べなさい」とか「たくさん食べたね、すごいね」などと多く食べることを動機づけるような接し方をします。また、お菓子やアイスなどについては「もうそのぐらいにしなさい」などとブレーキをかけようとします。

しかし、食べるか食べないかの決定権（いわば食欲の自治権）を、早めに子どもに譲り渡してしまった方が良いのではないかと私は思います。食べすぎて気持ち悪くなった、太ってしまって恥ずかしいなど、食べすぎたことの結果は、彼ら自身が負うのですから。

とくに小学校高学年ぐらいから増えてくるのですが、摂食障害の女の子は一様に、「食べて太ることの恐怖」を感じ続けています。そして、その子どもたちの親、とくに母親は、しばしば娘がなにを食べるか、体重がどう変化するかを、わがことのように気にしています。

詳しくは書きませんが、拒食症がひどい状態になると、もはや食べることや食べないことを子どもに任せるということが難しくなります。このような事態に至らないためにも、親が子どもの食欲を管理するようなことは、早めにあきらめるべきだと私は思います。

アイスクリーム療法は親のための認知行動療法でもある

この療法を面接や講演の場で紹介するようになって以来、「効果てきめんでした！　子どもが元気になりました」とか、「子どもが学校に行けるようになりました」、というような嬉《うれ》しい報告をしてくださった方が何人もおられます。なかには、行動の問題がたくさん出ていた高齢の認知症の方が落ち着いた、という話までいただきました。

なぜこの方法に効果があるのか、私なりに考えてみました。

子どもに厳しい親や小言の多い親は、子どものためと思って、いろいろと一般に良いと言われることをやっています。アイスクリームを好きなだけ食べさせる、片付けもしなくて良い、いつ食べても良い、といったようなことは、そのようなきちんとした親がやっていることとは、まったく相容れないことです。

だからこそ、子どもにとっては嬉しい驚きになるわけですが、一ヶ月なら一ヶ月と心に決めて徹底してやれば、親にとっても、これまでの育児観が大きく変わってしまうような大きな可能性を秘めているようです。

ともかく、これを実行している間は、少なくともアイスクリームを食べることについてだけは、口を出さないようにします。そのために、親は、子どもに注意をしようとしては我慢する自分を、否が応にも、一日に何度も自覚させられることになります。そして、そのことによって、親は、子どもがアイスクリームを食べている時以外でも、自分が、子どもにどのように接して、子どもになにを話そう、伝えようとしているかということについて、意識する癖がついてきます。

また、子どもが無条件に無邪気に喜ぶ姿や、親子で一緒に呑気《のんき》にアイスクリームという嗜好品《しこうひん》を楽しむ時間はたいへん貴重です。栄養のバランスやカロリーを考えた堅苦しい食事とはまったく違う、シンプルにただただ楽しい時間になります。なんの役にも立たないことを一緒に楽しくやる時間です。このような時間を持つことは、子どもだけでなく親の気持ちもリラックスさせます。

長々といろいろなことを書いてきましたが、騙《だま》されたと思って是非一回試してみてください。買い物かご一杯にアイスを買ってレジに並ぶ気分を味わってみてください。冷凍室に溢れんばかりのアイス、その光景をあなたの子どもに見せてあげてください。そしてあなた自身も、今まで食べたことがないようなアイスを、子どもと一緒に食べて笑ってみてください。私はアイスクリーム会社の回し者ではありませんが、一人でも試してみてくださる親がいたら、そして、子どもの気持ちになって、親の与えてくれる幸せを感じていただけたらと、願ってやみません。

参考文献

※　この本を書くにあたって、私が参考にした本はこの他にもたくさんありますが、ここでは読者のみなさんにもおすすめできる本だけを選んでリストを作成しました。この本を読んでいただいた後に、もしもご興味があれば、手に取ってみてください。

『魔法の「しつけ」――親と子の気持ちを結ぶ』（長谷川博一著、ＰＨＰ文庫、二〇〇八年）
『お母さんはしつけをしないで』（長谷川博一著、草思社文庫、二〇一一年）
『うつと神経症の心理治療――「自分」とインナーペアレント』（黒川昭登著、朱鷺書房、二〇〇三年）
『トラウマ返し――子どもが親に心の傷を返しに来るとき』（小野修著、黎明書房、二〇〇七年）

おわりに

『子どもを信じること』を書き終えたところで、私の頭に浮かんでいることを、最後に書いておきたいと思います。

この本で私は、子どもにやさしく接することが大事と書きました。しかし、実際に、一日中、一年中、子どもと一緒にいたら誰でも分かることですが、子どもにやさしく接するということは、本当に難しいことです。

たとえば、娘さんの問題について数年にわたって面接に通われていたあるお母さんは、次のように私に話されました。「先生の言われるように娘に接してきたことで、娘は本当に元気になってきました。このように接していくのが良いということは、本当によく分かりました。しかし、私自身は、自分の母親からこのように大事にしてもらった記憶がありません。それどころか、母の私に対する言葉や態度を「あれはあんまりだった」と毎日のように思い出します。娘にやさしくしている自分は、すごく無理をしているように感じることがあります。今でも突然、全部放り出したくなる、めちゃくちゃにしたくなる、そんな気がすることがあるのです。私は私をどうしたら良いのでしょうか」。

このような正直な思いについて、どのような言葉を返したら良いのか、私はその時、なにも話すことができませんでした。

この本を読んでいただいた方も、子どもにやさしく接しようとした時に、このような思いを持たれることがあるかもしれません。

ここで私に言えることは、次のようなことだと思います。

すでに本文で何度も書いたことですが、自分はこのような複雑な思いを持っている、ということを意識しながら子どもに向き合うこと、それがまず大事だと思います。

そして、実際にやさしく接することができなくても、「やさしく接しても良いのだ」「厳しく接する必要はないのだ」ということを意識することで、自分も子どもも変わっていくと思います。たとえ、実際にはやさしく接することができなくても、多少厳しく接してしまうことがあっても、子どもに向き合う時の自分の姿勢を意識するだけで、あなたも子どもも、そして親子の関係も、違ってくるのです。このことをいつも心の片隅にとめておいていただいたら良いのではないかと思います。

さらに、親であるあなた自身も、かつては子どもであったということを、思い出してみてください。目の前にいる子どもと同じように、かつてあなたも無邪気で幼い子どもだったのです。そして、いろいろな困難に出会いながら、自分の親だけではない、いろいろな人に支えられながら、持っている力を十分に発揮して、必死で生き延びてきたのです。その上で、今もすばらしく生きているということ。その事実は、とても大切な、貴《とうと》いことだと、私は思います。

子どもに厳しく接してしまいそうな時に、私はいつも、次のようなことを考えます。もしも仮に、自分が幼かった頃、このような場面で、親からやさしく接してもらっていたら、はたして、自分は今より、ダメな大人になってしまっただろうか、それとも、幸せな人間に育っただろうか、と。そして今、自分は、親として、そのような場面をやり直せる立場にあるのだ、と。

あなたが子どもにやさしく接している時、子どもを大事にしている時、あなた自身の心の一部は、あなたの子どもに溶け込んで、一体になっているのです。そして、今は親となっている自分から、子どもとして、愛情を受け取っているのです。子どもにやさしく接すると、なぜか自分も、気持ちが良くなったり、幸せな気分になれるのは、そういう仕組みなのではないかと、私は考えています。子どもを大事にすることは、自分が子どもであった過去に遡《さかのぼ》って、子どもの頃の自分のことも大事にしていることになるのではないかと、私は思います。

結局のところ、子どもを信じる、ということは、かつて子どもであった自分を信じること、そして、今の自分を信じることでもあると、私は思います。自分を信じて、そして、子どもを信じて、親として子どもに接していくことが、子どもを幸せにすることにつながると、私は考えています。

最後に、この本が作られることになった経緯について書いておきます。

京都府の南部、木津川市というところに、「数理言語教室ば」という学習塾があります。寺子屋のようなスタイルでユニークな教育を実践されている、とても面白い塾です。わが家の子どもたちも、そこでお世話になっているのですが、二〇一〇年の春に、その「ば」で、「子育て心理学講座」と題するシリーズ講義が開催されました。

「ば」を主宰されている石橋英樹先生から、当初は、脳科学について、子ども向けの講義をしてもらえまいかと、お話をいただいたのでした。私としては、親を対象にした、育児心理学の講座をやってみたいという思いがありました。そこで私は、「子育て心理学講座」と題して、全三回の講義をすることを提案し、石橋先生から了承を得ることができました。講座には保護者の方が大勢参加されて、質疑応答の際の意見交換は、毎回、非常に切実かつ興味深いものとなりました。

この講座に、石橋先生のご友人である大隅書店（現さいはて社）の大隅直人さんが、オブザーバーとして参加してくださいました。そして、講義の内容と、そこでの活発なやりとりを印象深いものと感じてくださり、この内容を本にされてはいかがでしょうか、というご提案をいただきました。それが、この本を書くことになったきっかけです。

貴重な機会を与えてくださり、講座の企画・運営から、出版のための原稿の準備まで、始めから終わりまでご助力いただいた、「ば」の石橋先生、南野和俊先生、そして大隅さんに感謝します。

また、草稿の段階で、忙しい中、時間を作って、それをていねいに読んでくれて、忌憚《きたん》ないコメントやアドバイスをくれた薮下遊さん、新風堂書店の中田睦子さん、そのほか複数の同僚や旧友にも、感謝の意を表したいと思います。さらに、校正者の上念薫さんのおかげで、私自身の考えもより深まったと思います。ありがとうございました。

プライバシーに配慮して、本質を損なわない程度に変更を加えてありますが、事例として紹介することにご同意くださった、クライエントの方々や友人の皆様にも感謝いたします。

そして、日々、私に、生きる喜びとともに、私自身を成長させるもととなるものを、つねに与え続けてくれる妻と四人の子どもたちへ。ありがとう。

二〇一一年八月

田中茂樹

田中茂樹
（たなか・しげき）

1965年、東京都生まれ。4歳から高校卒業まで徳島県で育つ。京都大学医学部卒業。京都大学大学院文学研究科博士後期課程（心理学専攻）修了。文学博士。2010年3月まで仁愛大学人間学部心理学科教授、同大学附属心理臨床センター主任。現在は、医師・臨床心理士として、地域医療、カウンセリングに従事している。2012年3月より佐保川診療所所長（TEL 0742-22-3201）。著書に、『子どもが幸せになることば』(2019年、ダイヤモンド社)、『去られるためにそこにいる』(2020年、日本評論社)、『子どもの不登校に向きあうとき、おとなが大切にしたいこと』(2023年、びーんずネット）などがある。本の感想、コメントなどはmoju42@gmail.comまで。

子どもを信じること

2011年９月20日　第１刷発行
2023年11月10日　第15刷発行

著　者　田中茂樹
発行者　大隅直人
発行所　さいはて社
ホームページ　http://saihatesha.com/
メールアドレス　info@saihatesha.com
電話　050-3561-7453
ファクス　050-3588-7453
組版者　田中　聡（ＴＳスタジオ）
校正者　上念　薫　田中奈保生
装画者　岡田千晶
装幀者　加藤恒彦
印刷所　共同印刷工業
製本所　新生製本
協力　石橋英樹　南野和俊　風木一人

ISBN 978-4-9909566-2-2